Schriften der Katholischen Akademie in Bayern
Herausgegeben von Franz Henrich
Band 98

Patmos Paperback

Zukunft

Zur Eschatologie
bei Juden und Christen

Herausgegeben von Rudolf Schnackenburg

Mit Beiträgen von Iring Fetscher, Eckhard Lessing,
Jakob Petuchowski, Rudolf Schnackenburg,
Shemaryahu Talmon

Patmos Verlag   Düsseldorf

CIP-Kurztitelaufnahme der Deutschen Bibliothek

Zukunft:
zur Eschatologie bei Juden u. Christen / hrsg. von Rudolf Schnackenburg.
Mit Beitr. von Iring Fetscher . . . – 1. Aufl. – Düsseldorf: Patmos Verlag, 1980.
   (Schriften der Katholischen Akademie in Bayern; Bd. 98) (Patmos Paperbacks)
   ISBN 3-491-77379-2

NE: Schnackenburg, Rudolf [Hrsg.]; Fetscher, Iring [Mitverf.]

© 1980 Patmos Verlag   Düsseldorf
Alle Rechte vorbehalten
1. Auflage 1980
Umschlaggestaltung: Rüdiger Eschert
Satz: Computersatz Bonn GmbH   Bonn
Druck: Lengericher Handelsdruckerei,   Lengerich/Westf.
ISBN 3-491-77379-2

Inhalt

Vorwort

Zukunft – das ist ein gutes deutsches Wort. Mögen wir zuerst das „Künftige" im Unterschied zur Vergangenheit und Gegenwart heraushören, so werden wir doch bald gewahr, daß uns die Zukunft „angeht", auf uns „zukommt", so daß wir uns dem Druck der Zukunft auf unser gegenwärtiges Verhalten nicht entziehen können. Die Frage nach der Zukunft stellt sich unter recht verschiedenen Aspekten. Der einzelne sieht sich der Grenze seines Todes und der Frage nach dem Sinn seines Lebens gegenüber. Die menschliche Gesellschaft steht vor dem Problem, wie sie die heranstürzende, jetzt schon einbrechende geschichtliche Zukunft für die explosiv anwachsende und global zusammenrückende Menschheit bewältigen kann. Tiefer gesehen bestimmen religiöse, philosophische, weltanschauliche, politische Überzeugungen den jeweils eingeschlagenen Kurs in die Zukunft. Der christliche Glaube bietet andere Antworten an, als sie aus säkularen, innerweltlich orientierten Grundeinstellungen erwachsen; aber er kann nicht einfach seinen Kurs steuern, sondern muß sich auch dem Diskurs mit jenen anderen Weltanschauungen und Ideologien stellen. Im geistigen Austausch und Ringen gewinnen die um „Zukunft" angesiedelten Fragen eine deutlichere Gestalt und ein schärferes Profil.

Die hier anstehenden und tiefgreifenden Probleme können und sollen nicht sämtlich in diesem Band, der auf eine Tagung der Katholischen Akademie in Bayern zurückgeht, angesprochen und behandelt werden. Das Ziel jener Tagung vom 27./28. Oktober 1979 in München war enger gesteckt. Mit ihr sollte das theologische Gespräch zwischen Juden und Christen fortgesetzt und diesmal

„die Bedeutung der biblischen Heilshoffnung vor dem Hintergrund der geistigen Herausforderungen der Gegenwart" diskutiert werden, wie es der Direktor der Akademie, Dr. Franz Henrich, in seiner Einladung formulierte. Darum auch der Untertitel: Zur Eschatologie bei Juden und Christen.

Eschatologie – das ist nun ein Begriff aus der theologischen Fachsprache, der dem Wortsinn nach die „Lehre von den Letzten Dingen" bezeichnet, kein eindeutiger und guter Begriff. Im Gegenteil: Seit seinem Aufkommen zu Beginn des 19. Jahrhunderts hat er starke Metamorphosen durchlaufen und sich in den jeweiligen theologischen Systemen in verschiedenem Sinn breit gemacht. Bald ging er von der „Lehre" über die Letzten Dinge auf die künftigen, damit gemeinten „Sachen" selbst über, was immer man darunter verstand. Dann geriet er in den Sog theologischer Strömungen und konnte so unterschiedliche Auffassungen wie die „heilsgeschichtliche" Betrachtung für das „Ende der Zeiten" (O. Cullmann), die existentiale Interpretation, die alles auf das Existenzverständnis des Menschen und die ihm abverlangte Entscheidung konzentrierte (R. Bultmann), oder die schon „realisierte Eschatologie" (C. H. Dodd) unter seiner Decke bergen. Unlängst hat ein katholischer Exeget und Theologe, der sich um die Qumranforschung verdient geacht hat, eine heftige Attacke gegen den Begriff und das verschwommene Verständnis von „Eschatologie" unternommen (J. Carmignac, Le Mirage de l'Eschatologie [Die Luftspiegelung, Täuschung der Eschatologie], Paris 1979). Auch andere Theologen haben geraten, den Begriff zu ächten oder doch wenigstens sparsam und eingegrenzt zu verwenden. Wie berechtigt eine solche Forderung ist, wurde mir im Gespräch mit Professor S. Talmon (schon in einer Fernsehdiskussion vor der Tagung in der Akademie) bewußt. Ein von der Bibel herkommender jüdischer Theologe begreift das Geschichtsdenken Israels anders als christliche Theologen, die von der Botschaft Jesu und der Verkündigung der Urkirche her ihren Blick viel stärker auf das letzte, absolute Ende der Geschichte richten, auch wenn sie den Gegenwartsbezug des erwarteten Endes oder die unaufhebbare Spannung zwischen der Gegenwart des Heils und der künftigen Vollendung sehen und das Gegenwart wie Zukunft umspannende Handeln Gottes betonen. Der Leser wird dessen gewahr werden, wenn er die Ausführungen des jüdischen Gelehrten mit meinen eigenen vergleicht. Gleichwohl möchte ich auf den eingeführten Ausdruck nicht ganz verzichten. Die Theologie braucht übergreifende und zusammenfassende Begriffe, und im christlichen Bereich wird damit nun doch eine für das Glaubensbewußtsein wichtige „Sache" angesprochen, eine für das christliche Selbstverständnis wesentliche, ja unentbehrliche Perspektive aufgenommen. Um das Verhältnis von Gegenwart und Zukunft kreist das theologische Denken im heutigen Horizont. Die „Theologie der Hoffnung" bewegt nicht nur die Theologen, sondern hat auch unmittelbaren Einfluß auf die Besinnungen über die praktischen Aufgaben, die wir in der heutigen Zeit und Gesellschaft als Christen zu erfüllen haben. Erinnern wir uns nur an das grundlegende Dokument der Gemeinsamen Synode der westdeutschen Bistümer „Unsere Hoffnung. Ein Bekenntnis zum Glauben in dieser Zeit" oder an das Leitwort des Freiburger Katholikentages „Ich will euch Zukunft und Hoffnung geben". Vielleicht genügte es, von unserer „Heilshoffnung" zu sprechen; aber das endgültige, im Handeln Gottes durch Jesus Christus begründete Heil, das einen Gegenwarts- und Zukunftsaspekt umschließt, klingt deutlicher und schärfer an, wenn es mit „eschatologisch" gekennzeichnet wird. Für diese Sprechweise gibt es auch im Neuen Testament einen Anhalt, wo mit dem Attribut des „Letzten" sowohl ein präsentischer (vgl. Apg 2,17; Hebr 1,2; 1 Petr 1,20; 1 Joh 2,18) als auch ein futurischer Sinn (vgl. 1 Kor 15,26; Joh 6,39.40 u. ö.; 1 Petr 1,5) verbunden werden kann. Der „fließende" und doch im Christusgeschehen begründete Begriff zwingt uns, über den eigentümlichen Sachverhalt der christlichen Botschaft tiefer nachzudenken.

Wenn die ersten beiden Referate die Zukunftshoffnung jüdischer und christlicher Religion in ihrer je eigenen Ausprägung, auch im Wandel des geschichtlichen Denkens, herausarbeiten wollen und so das Verbindende und Scheidende in den Blick bringen, bemühen sich die folgenden Referate darum, den religiösen Glauben – den jüdischen wie den christlichen – in einen weiteren geistesgeschichtlichen Horizont zu rücken, mit anderen Grundeinstellungen zu vergleichen und besonders mit den modernen säkularen Heilsvorstellungen und Hoffnungsutopien zu konfrontieren. Das Referat des Politik-Wissenschaftlers Iring Fetscher gibt einen weiten Überblick über die Problematik von der Antike bis in die Gegenwart und hält den Leser bei der Grundfrage fest, ob der Mensch eine außerweltliche Heilserwartung braucht. Der jüdische Gelehrte Jakob Petuchowski unternimmt den faszinierenden Versuch, über eine bloße Konfrontation von säkularer Utopie und religiöser Erwartung einer von Gott heraufgeführten Vollendung („Gottesreich") hinauszugelangen und die beiden scheinbar unversöhnlichen Haltungen zu einer fruchtbaren Konkurrenz, ja einer Weggemeinschaft in der heutigen pluralistischen Gesellschaft zusammenzuführen. Der evangelische Professor für Systematische Theologie Eckhard Lessing schließlich bringt eine höchst aktuelle Problematik ins Spiel, wie nämlich nach Heil im Zusammenhang von Geschichte und im Zusammenhang von Natur gefragt werden kann. Es sind zwei divergierende Linien, die sich vom Geschichtsdenken und von der Anthropologie her ergeben und doch in der Heilsfrage zusammengehalten sind. Gegenüber den ungelösten Problemen der Güterverteilung, der Unterentwicklung vieler Länder, politischer Spannungen, kriegerischer Konflikte usw., die im geschichtlichen Geschehen verwurzelt sind, melden sich nun auch die bedrängenden Fragen der Energieversorgung, des Umweltschutzes, des Lebensraums und Lebensstils der Menschen an und werden ebenfalls zur Herausforderung der christlichen Heilshoffnung, die sich auf den allzeit größeren Gott verläßt, aber auch auf die Nöte der Gegenwart einlassen und zu ihrer Bewältigung beitragen muß.

So hat sich im Verlauf der Tagung das Gespräch zwischen Juden und Christen zu einem weiterreichenden Diskurs im geistigen Ringen unserer Zeit ausgedehnt. Auf dem Hintergrund dieser Herausforderungen scheinen mir gläubige Juden und Christen

trotz allem Unterscheidenden und Trennenden näher zusammen-
zurücken, nämlich im Glauben an die von Gott verheißene und
eröffnete Zukunft, die wir in der Gegenwart zu bezeugen und durch
unser eigenes Bemühen glaubhaft zu machen haben.

Würzburg, 20. März 1980

Rudolf Schnackenburg

Shemaryahu Talmon

Eschatologie und Geschichte im biblischen Judentum

I

Das Thema, dem dieser Band gewidmet ist: „Zukunft – zur Eschatologie bei Juden und Christen", erfordert vom geistesgeschichtlichen Standpunkt her, daß wir uns zu Beginn unserer Betrachtungen der hebräischen Bibel zuwenden, dem Fundus des jüdischen und des christlichen Glaubens. Es ist keinem Zweifel unterworfen, daß das christliche wie das jüdische eschatologische Denken und beider Zukunftserwartungen ihre Wurzeln in der hebräischen Bibel haben. So fällt dem Alttestamentler vom Fach die Aufgabe zu, diese Aufsatzreihe einzuleiten. Die Voransetzung der Darlegung, die auf die alttestamentliche Zukunftserwartung und Zukunftshoffnung gerichtet ist, soll aber nicht als Hinweis darauf verstanden werden, daß die Weiterentwicklung der in der hebräischen Bibel präzisierten oder angedeuteten eschatologischen Ideen in der nachbiblischen jüdischen und christlichen Theologie – beginnend mit dem Neuen Testament – in völliger Abhängigkeit von und in unumschränktem Einverständnis mit der alttestamentlichen Auffassung dessen, was wir als *Eschatologie* bezeichnen, vor sich gegangen ist. Die Ausführungen meiner Kollegen, und auch mein Beitrag, werden es klarmachen, daß der Begriff *Eschatologie* und die Inhaltsbestimmung des mit ihm angezeigten Bildes einer Zukunftshoffnung im Übergang von der alttestamentlichen zur nachbiblisch-jüdischen und zur christlichen Ideenwelt, und danach im Wandel der Zeiten, umformenden Wandlungen unterworfen war. In Anbetracht der Zeitspanne, die hier umrissen werden soll, und der von der alttestamentlichen so verschiedenen nachbiblisch-jüdischen und christlichen Geistessituationen darf dies gar nicht wundernehmen. Es darf also als Aufgabe der in diesem Band gelieferten Referate angesehen werden, in toto den gemeinsamen Grundstock herauszuschälen und zugleich ein Bild von der schillernden Vielfältigkeit zu geben, in der sich *Eschatologie* in der jüdischen und christlichen Tradition kundgibt. In ihrer Gesamtheit sollen unsere Darlegungen die befruchtende Spannung beleuchten, die zwischen grundsätzlichen, dem Christentum und dem Judentum gemeinsamen Basen und formativen, ideengeschichtlich und entwicklungsmäßig bedingten Unterschieden besteht. Wir dürfen hoffen, daß durch eine vergleichende Analyse dieses Ziel zumindest annähernd erreicht werden wird.

Einige Bemerkungen möchte ich vorausschicken, die in notwendiger Kürze auf eine Klärung des Begriffs *Eschatologie* hinzielen, da ja dieser Begriff in verschiedenen Kulturen und Ideensystemen verschieden aufgefaßt und interpretiert wird. Im großen und ganzen darf man wohl sagen, daß *Eschatologie* als „Ausblick des Glaubens auf die endzeitliche Vollendung der Heilsgeschichte"[1] überwiegend im christlichen Glauben und in der christlichen Dogmatik haftet. Dieser Begriff wurde von in der christlichen Ideenwelt lebenden Theologen, Anthropologen, Religionssoziologen und Historikern auch auf die Zukunftserwartungen antiker Gesellschaften und Naturvölker übertragen. So definiert man beispielsweise als „eschatologisch" die Kargo-Kulte, die sich bei mehreren Südseevölkern finden. Diese Kulte, die vorzüglich nach dem Ende des Ersten Weltkriegs sproßten, geben einer Zukunftshoffnung jener Völker Ausdruck, in der das Erscheinen eines messiasartigen Retters erwartet wird, der eine politisch-religiöse Renaissance der jeweils betroffenen Gesellschaft anbahnen wird. Die erschaute Zukunft birgt immer den Sieg über „die Feinde",

---

[1] So formuliert in der Einladung zu der Veranstaltung der Katholischen Akademie in Bayern, München, 27.–28. Oktober 1979. Mein dort gehaltenes Referat wurde für diese Buchveröffentlichung erheblich erweitert.

meistens als weiße Menschen dargestellt, in sich, ferner die Aussicht auf ein Übermaß an Produkten,[2] die von den Insulanern besonders hoch eingeschätzt werden. Krieg, Tod und Neubeginn des völkisch-nationalen Wesens spielen in diesen Visionen eine markante Rolle.[3] Aber man findet in ihnen keine Spuren der geistig-gläubigen Selbstverpflichtung des einzelnen und der Gemeinschaft, die das Alpha und das Omega der Zukunftshoffnungen der biblischen Offenbarungsreligionen bilden. Die Kargo-Kulte und ähnliche Konzeptionen bekunden wahrlich „eine Flucht aus der Erfahrung gegenwärtigen Unheils"[4], dem diese Naturvölker ohnmächtig gegenüberstehen, in den Bereich der Wunschträume.[5] Aber es fehlt ihnen der positive Wertbestand, der die Grundlage und der Mittelpfeiler der jüdischen und christlichen Zukunftserwartung ist.

Man muß also die Frage stellen, ob in Anbetracht dieses ausschlaggebenden Mankos der Begriff *Eschatologie* mit Recht auf die Zukunftsträume jener Naturvölker angewendet werden darf.

Ähnlich wurde „die Lehre von den Letzten Dingen", ich betone – *letzte* Dinge – rückblickend von der Interpretation des christlichen Glaubens und der christlichen Dogmatik auch in die hebräische Bibel, das Alte Testament verpflanzt. Hier aber liegt der Sachverhalt anders als bei den Kargo-Kulten. Der Selbstbezug des Christentums auf das Alte Testament ist eine über alle Zweifel erhabene Tatsache. Die tiefe Verbindung der neutestamentlichen Literatur mit der Sprache oder den Sprachen – Hebräisch und Aramäisch –

---

[2] Vgl. ähnliche Aussagen im Alten Testament und in den Qumranschriften, unten S. 35 ff; 40 f.

[3] *K. Th. Preuss*, Tod und Unsterblichkeit im Glauben der Naturvölker (Sammlung gemeinverständlicher Schriften aus dem Gebiet der Theologie und Religionsgeschichte 146), 1930; *H. Petri*, Das Weltende im Glauben australischer Eingeborener: Paideuma, Mitteilungen zur Kulturkunde 4 (1950) 349–362; *A. Lommel*, Der „Cargo Kult" in Melanesien. Ein Beitrag zum Problem der Europäisierung der Primitiven: Zeitschrift für Ethnologie 78 (1953) 17–63; *P. Worsey*, The Trumpet Shall Sound: A Study of ‚Cargo' Cults in Melanesia, 1957; *S. L. Thrupp*, Millennial Dreams in Action (Comparative Studies in Society and History, Supplement No. 2), 1962; *Y. Talmon*, Millenarian Movements: European Journal of Sociology VII (1966) 159–200 (dort weitere Literatur).

[4] So formuliert in der Einladung zu der Tagung (s. Anm. 1).

[5] Dies trifft in gewissem Maß auch auf die biblische Geschichtshoffnung zu, die sich wegen wiederholter Enttäuschungen von der Geschichte in die Metahistorie verschoben hat, also „eschatologisiert" wurde. Siehe dazu *M. Buber*, Königtum Gottes, Berlin 1932, Vorwort.

15

der alttestamentlichen Bücher, ihrem Motivschatz und Ideengehalt, liegt klar auf der Hand. Man könnte also die Meinung vertreten, daß ein Rückschluß von der prägnanten Zeichnung eines eschatologischen Zeitalters in der frühchristlichen Literatur auf die ihr vorangehenden Schriften des Alten Testaments ohne Vorbehalt verfechtbar ist. Damit wäre auch die Legitimierung für die Anwendung des Begriffs *Eschatologie* auf die altisraelitischen Zukunftserwartungen gegeben, und so könnten auch diese als auf eine „endzeitliche Vollendung der Heilsgeschichte"[6] hinzielend gekennzeichnet werden. Zur Verteidigung dieser Begriffsübertragung könnte noch das Argument angeführt werden, daß man in der Analyse und in der Darstellung einer Welt, von der uns ein Zeitabstand von zweieinhalb bis dreitausend Jahren trennt, nolens volens auf die Ideen und sprachlichen Konkretisierungen zurückgreifen muß, in denen man zu Hause ist. Man kann aus seinem Vokabular ebensowenig wie aus seiner Haut schlüpfen. Ich möchte diesen Vorgang durch einige Beispiele erläutern. In der Charakterisierung der begeisterten Führerpersönlichkeiten des biblischen Israels hat sich seit Max Weber der Terminus *Charisma* eingebürgert,[7] der aus dem Neuen Testament entlehnt ist. Wir wenden auf die Gesellschaftsstrukturen des antiken Nahen Ostens Ausdrücke und Begriffe an, die uns das klassische Griechenland, das Römische Reich oder das Mittelalter vermacht haben, von der Moderne gar nicht zu reden. Es ist gang und gäbe, von einer „primitiven Demokratie" in Mesopotamien und im biblischen Israel zu sprechen[8] oder auf deren Staatsgebilde

---

[6] Im Text der Einladung zu der in Anm. 1 erwähnten Tagung.

[7] *M. Weber,* Das Antike Judentum (Gesammelte Aufsätze zur Religionssoziologie Bd. 3), Tübingen 1921; *ders.,* Die charismatische Herrschaft und ihre Umbildung, in: Wirtschaft und Gesellschaft. Grundrisse der verstehenden Soziologie, Bd. 2, Tübingen 1922, 832–873.

[8] Der Begriff wurde von Thorkild Jacobsen auf die antike mesopotamische Gesellschaft angewandt und dann von anderen auf das biblische Israel übertragen. Vgl.: *Th. Jacobsen,* Primitive Democracy in Ancient Mesopotamia: Journal of Near Eastern Studies (JNES) 2 (1943) 159–172, jetzt in: Toward the Image of Tammuz and Other Essays on Mesopotamian History and Culture, Cambridge, Mass. 1970, 157–170. Für die Anwendung des Begriffs auf die biblische Gesellschaft siehe u. a.: *C. U. Wolf,* Traces of Primitive Democracy in Israel: JNES 6 (1947) 98–108; *R. Gordis,* Primitive Democracy in Ancient Israel, in: A. Marx Jubilee

eine Terminologie anzuwenden, die dem mittelalterlichen Feudal-system entstammt. Hier muß aber Vorsicht gefordert werden.[9] Verschiedene Kulturen lassen sich nicht so ohne weiteres über einen sprachlichen und begrifflichen Leisten schlagen. In einem solchen Pauschalverfahren läuft man Gefahr, entweder die transferierten präzisen Termini zu verwässern oder aber die Eigenart von anderen Kulturphänomenen – seien sie primitiv, altorientalisch oder fern-östlich – auf unser Verstehen zurechtzustutzen und damit ihre partikuläre Identität zu vergewaltigen. Die angedeutete Problema-tik wurde in der modernen Forschung im Prinzip durchaus zur Kenntnis genommen. In bezug auf den hier zur Untersuchung stehenden Begriff *Eschatologie* sagt G. von Rad: „Gegenüber einem immer allgemeiner und demgemäß immer blasser werdenden Sprachgebrauch vom Eschatologischen erhoben sich aber warnende Stimmen, die mit Recht forderten, daß der Begriff präzis bleiben müsse und nur auf ein bestimmtes, markantes Phänomen angewen-det werden dürfe."[10] In der tagtäglichen Praxis der Exegeten, Theologen und Religionswissenschaftler wird diese Warnung oft aus dem Auge verloren.

Nach diesen kurzen Vorbemerkungen können wir uns jetzt der Betrachtung des Begriffs *Eschatologie* in bezug auf das Alte Testament zuwenden. Es braucht wohl kaum betont zu werden, daß ich beabsichtige, die Klärung der Frage vorzüglich auf Einsichten zu gründen, die aus den hebräischen Texten gewonnen werden. Rückschlüsse sollen, wenn überhaupt, in beschränktem Maß gebraucht werden, und auch dann nur mutatis mutandis, mit der erforderlichen Anpassung der späteren Auffassungen an die

Volume, Philadelphia 1950, 347–369; dagegen: *P. A. H. de Boer,* Israël n'a jamais été une démocracie: Vetus Testamentum (VT) 5 (1955) 227 Anm. 2; ferner: *S. Talmon,* The Judean „Am Ha'ares" in Historical Perspective, in: Proceedings of the Fourth World Congress of Jewish Studies, Vol. I, Jerusalem 1967, 71–76; *ders.,* Kingship and the Ideology of the State, in: The World History of the Jewish People – The Age of the Monarchies; Culture and Society, Jerusalem 1979, 3–26.

[9] Dazu: *S. Talmon,* The „Comparative Method" in Biblical Interpretation – Principles and Problems, in: Supplements to VT, Congress Volume Göttingen 1977, Leiden 1978, 330–356.

[10] *G. von Rad,* Theologie des Alten Testaments II, München 1965, 123.

Gedankenwelt der althebräischen Schriften. Mit anderen Worten: Der Gesamtkomplex der israelitischen Literatur und die in ihr enthaltenen Ideenwerte müssen in ihrer Eigentümlichkeit betrachtet werden und nicht nur als Vorläufer nachbiblischer jüdischer und christlicher Konzeptionen.

Lassen Sie mich mit einer Binsenweisheit beginnen: Der griechische Ausdruck *Eschatologie* = „Lehre von den Letzten Dingen" findet sich natürlich überhaupt nicht in den hebräischen Texten. Daraus ist aber nicht notwendigerweise der Schluß zu ziehen, daß den Hebräern auch die durch dieses griechische Wort verbalisierten Anschauungen und Begriffe fehlten.[11] Ihr Vorhanden- oder Nichtvorhandensein kann nur durch eine über den sprachlichen Tatbestand hinausgehende Analyse verifiziert werden.

In diesem Unternehmen stoßen wir auf große Schwierigkeiten. Es kann nicht oft genug betont werden, daß das Alte Testament nicht ein Buch ist, sondern, in den Worten Martin Bubers, „ein Buch aus Büchern".[12] Der Generalnenner *Biblia* bezieht sich auf eine Anthologie, eine Schriftensammlung, deren Wachstum sich über ein Jahrtausend hinzog. Bibelwissenschaftler sind sich weitgehend darüber einig, daß die frühesten in dieser Sammlung enthaltenen Partien aus dem 12. und die spätesten aus dem 2. Jahrhundert v. Chr. stammen. In seiner Gesamtheit bietet also der alttestamentliche Kanon dem Beschauer einen Längs- und Querschnitt in Auswahl durch die in der biblischen Epoche entstandene Literatur in ihrer Mannigfaltigkeit von Gattungen und Formen, die neben-

---

[11] Eine ähnliche Situation besteht in bezug auf den ideenträchtigen Begriff „Offenbarung". In der hebräischen Bibel findet sich kein Äquivalent für den griechischen Ausdruck *apokalypsis*: „Einerseits ist der Begriff der Offenbarung ein so selbstverständlicher Bestandteil der gegenwärtigen theologischen Sprache, daß man ihn ohne besondere Definition meint aufnehmen zu können. Andererseits liegt eine große Schwierigkeit darin, daß das Alte Testament keinen fest geprägten Begriff für Offenbarung besitzt" (*R. Rendtorff*, Die Offenbarungsvorstellungen im Alten Israel, in: Offenbarung als Geschichte, Göttingen 1963, 21 ff). Es kann aber kein Zweifel darüber bestehen, daß Gott sich dem biblischen Menschen „offenbarte".

[12] „Biblia, Bücher, so heißt ein Buch aus Büchern": *M. Buber*, Der Mensch von heute und die jüdische Bibel, in: Martin Buber/Franz Rosenzweig, Die Schrift und ihre Verdeutschung, Berlin 1936, 13.

und nacheinander in Israel gezeugt und gepflegt wurden. Zugleich spiegelt diese Anthologie das geistige Panorama des jüdischen Volkes von der Landnahme Kanaans im 13. Jahrhundert, und vielleicht schon vorher, bis etwa zwei oder zweieinhalb Jahrhunderte vor der Zerstörung des Zweiten Tempels und dem Ende der staatlichen Souveränität im Jahre 70 der Zeitrechnung. Eine lebendige Kultur, wie die des biblischen Israels, ist nicht statisch. Sie entwickelt und verändert sich im Lauf der Zeiten, aus innerem Drang und unter dem Einfluß von Kräften, die von außen her auf sie einwirken. Das betrifft auch die alttestamentlichen Zukunftserwartungen. Daraus resultiert, daß es fast unmöglich ist, das „markante Phänomen" aus dem Alten Testament herauszuschälen, auf das der Begriff *Eschatologie* zu Recht angewendet werden könnte, wie es v. Rad forderte.[13]

Einem solchen Versuch steht ein weiteres Charakteristikum der alttestamentlichen Literatur entgegen. Nirgendwo in der hebräischen Bibel lassen sich Ansätze einer systematischen Darstellung von Konzeptionen finden, die den Israeliten im Denken und im faktischen Leben als Richtlinien dienten. Es scheint, als ob die alten Hebräer grundsätzlich jeden Systemzwang ablehnten, also für unsere Begriffe „unmethodisch" dachten. Man reagierte geistig ad hoc auf Anstöße, die aus dem Leben und aus der Geschichte erwuchsen.[14] Was auch immer der Grund gewesen sein mag, man begnügte sich mit der Definition von wenigen Grundprinzipien, die zum Beispiel in den Zehn Geboten ans Licht treten oder in dem „Königsgesetz" Dtn 17,14–20, das sicher nicht zu einer ausreichenden Umschreibung des monarchischen Regimes ausreichte. Es bleibt also dem Leser und dem Wissenschaftler überlassen, die Bruchstücke von Ideen, die er in den Texten aufzuspüren vermeint, mosaikartig zu einem sinnvollen Ganzen zu verbinden, so in der Anthropologie, der Gesellschaftslehre und der Theologie, um nur einige Gebiete anzuführen. Es ist unvermeidlich, daß man bei

---

[13] A. a. O. (s. Anm. 10).
[14] Siehe dazu meine Bemerkungen in: Kingship usw., 3 ff (s. Anm. 8).

solchen Versuchen auf die Texte zurückgreifen wird, die prägnanter als andere die Gedanken widerspiegeln, die man sucht und die man systematisieren will. So läßt es sich erklären, daß für Theologen und Geistesgeschichtler die Bücher der Propheten und die Psalmen eine hervorragende Anziehungskraft haben. Glaube, Gehorsam und Gottvertrauen, also das „Religiöse", nimmt in dieser Literatur die Mitte der Bühne ein und beherrscht sie in einem Ausmaß, das kaum in den anderen Büchern und Gattungen erreicht wird. Das hier Gesagte gilt auch für die „alttestamentliche Eschatologie".[15] Sie wird vorwiegend aus den Propheten und den Psalmen eruiert.[16] Aber selbst wenn sich in diesen Texten eine „wahre Eschatologie" vorweisen lassen sollte, dürfte sie nicht zu einem Passepartout für das gesamte alttestamentliche Schrifttum gemacht werden. Nicht weniger als in den Propheten und Psalmen gibt sich die Geisteswelt der Hebräer in der Geschichts- und Weisheitsliteratur und in den Gesetzespartien kund, und in diesen sind kaum Spuren einer „wirklichen Eschatologie" enthalten.

Bevor wir das Argument weiterführen, müssen wir etwas gründlicher untersuchen, was unter *Eschatologie* – als „Lehre von den Letzten Dingen" – verstanden wird. Eine erschöpfende Betrachtung der Frage ist nicht am Platz und wohl auch nicht erfordert. Ich werde mich daher mit einigen Andeutungen begnügen. Vielleicht ist es nützlich, hier eine Bemerkung von Alfred Jepsen aus dem Artikel „Eschatologie" in: Die Religion in Geschichte und Gegenwart (II. Band, Tübingen 1958, S. 655) zu zitieren: „Auch das AT kennt eine Zukunftserwartung, spricht von dem, was geschehen wird. Es ist viel darüber verhandelt worden, ob man diese Erwartung als Eschatologie bezeichnen darf. Je nachdem, wie man den Begriff

---

[15] Grundlegend und zugleich zusammenfassend ist die Studie von *S. Mowinckel*, Das Thronbesteigungsfest Jahwäs und der Ursprung der Eschatologie. Psalmenstudien II, Repr. Amsterdam 1961, bes. S. 211–324.

[16] Dieser Beschränkung im Angang an die Klärung des Begriffs unterliegt der Aufsatz von *Ch. Bauer-Kayatz*, Exegetische Informationen über Eschata, Fortschritt und gesellschaftliches Engagement in der Sicht des Alttestamentlers, in: Eschatologie und geschichtliche Zukunft. Thesen und Argumente 5, Essen 1972, 89–118.

versteht, fallen alle, einige oder keine der at. Zukunftsaussagen darunter. Wenn E. nur ein neues Weltzeitalter umschreibt, das Ende der gegenwärtigen Geschichtsepoche, wird man in der Anwendung dieses Begriffes zurückhaltend sein müssen; wenn E. sich aber auf die Zukunft dieser Geschichte, eine Wende in dieser Geschichte bezieht, dann darf man den Begriff E. im AT verwenden; ebenso natürlich, wenn E. alle Zukunftsaussagen umfassen soll." Eine solche Erweiterung würde aber zu einer Verwässerung führen, die den Terminus nutzlos macht. Jepsen hat daher völlig recht, wenn er dann statuiert: „So ist wichtiger als diese terminologische Frage die eigenartige Struktur der at. Zukunftsaussagen, in all ihrer Mannigfaltigkeit und allem Wechsel darzustellen. Sie bilden kein einheitliches System... So werden unter dem Stichwort E. hier alle Zukunftsaussagen zusammengefaßt, ohne daß damit über die Anwendbarkeit des Begriffes E. auf alle diese Erwartungen etwas ausgesagt werden soll." Jepsen weicht also dem Problem elegant aus. Aber damit können wir uns kaum zufriedengeben. Die Fragwürdigkeit seines Ansatzes liegt tiefer als im Terminologischen.

II

Das griechische Wort „eschatologia" – die Lehre von den Letzten Dingen – setzt eine Abstraktionsfähigkeit und eine chronologisch-geschichtliche Perspektive voraus, die über den Horizont des alttestamentlichen Denkens hinauszugehen scheinen. Es kann daher nicht wundernehmen, daß die hebräische Bibel kein Äquivalent für den griechischen Begriff *eschaton* hat. Dem biblischen Denken scheint das Erfassen eines „absoluten Letzten", eines „absoluten Endes" fernzuliegen. Der biblische Mensch denkt impressionistisch. Im Räumlichen gibt es für ihn ein relatives „vor" und „hinter", bezogen auf den Sprecher, Betrachter oder Agenten, nicht ein absolutes „vorn" oder „hinten", das auf von ihm unabhängige Extremitäten zielt. Je nach Bedarf können „rückwärts" oder „vorwärts" in ein und derselben Situation auf entgegengesetzte Richtungen gehen. Um diese Feststellung zu erhärten, möchte ich nur einige Beispiele anführen, die einen rational geschulten Leser stutzig machen müssen.

In der Erzählung über Noach, den ersten Winzer, berichtet die Genesis, daß er sich in seinem Rausch entblößte. Seine Söhne Sem und Japhet legten ihm eine Decke auf, wobei sie aus Pietät vermieden, des Vaters Scham zu sehen. Die Szene wird in Gen 9,23 folgendermaßen geschildert: „Sie gingen rückwärts *(achōranīt)* und ihre Gesichter waren rückwärts (achōranīt)." Für den Beschauer kann sich hier „rückwärts" in bezug auf die Position des Vaters gegenüber den Söhnen sowohl auf deren Antlitz als auf deren Rücken beziehen. Die Richtungsangabe ist also nicht absolut, sondern relativ.

Auf eine ähnliche Sachlage stoßen wir in Genesis 33. Vor dem Wiedertreffen mit Esau, seinem Bruder, den er mit List um des Vaters Segen gebracht hatte (Gen 27), fürchtet Jakob mit Recht, daß es zu einem Zusammenstoß kommen könnte. Er stellt also seine Nebenfrauen und ihre Kinder an die Spitze der Kolonne, die am meisten einem eventuellen Angriff ausgesetzt ist, und hält seine Hauptfrauen Lea und Rahel im Hinterfeld, wobei Rahel, die geliebte Frau, und ihr Sohn Josef das Ende der Kolonne bilden (33,2). In bezug auf die Nebenfrauen Bilha und Silpa, die an der Front stehen, sind Lea und Rahel „die letzten". Doch für die Bezeichnung der Stufung zwischen ihnen fehlt es dem hebräischen Vokabular an adäquaten Ausdrücken: Es kennt weder einen Komparativ noch einen Superlativ in Beziehung auf *Späte* oder *Hintere*. Wir könnten auch sagen, daß des Erzählers Interesse nicht darauf zielt, das absolute Ende der Kolonne zu beschreiben. Es geht ihm darum, die Position der Hauptfrauen ins Licht zu rücken, denen die Nebenfrauen sozusagen als Sicherheitspuffer dienen, und dann wieder die besonders sichere Lage von Rahel und ihrem Sohn hervorzuheben, für die Lea und ihre Kinder sozusagen als Bollwerk dienen. Dies resultiert aus der folgenden Darstellung: „Jakob stellte Lea und ihre Söhne als Letzte auf und Rahel und Josef als Letzte"

(Gen 33,2), wobei in beiden Aussagen genau dasselbe hebräische Wort *acharōnīm* gebraucht wird (vgl. noch Koh 1,11).

Die gleiche Relativität – das Sich-Beziehen auf einen für den Betrachter wichtigen Ausgangspunkt anstelle von absoluten Polen – zeichnet auch die alttestamentliche Zeitauffassung aus. Die Anordnung von Geschehnissen in einer Reihenfolge geht vorwiegend nicht linear von einem absoluten Beginn aus und führt nicht auf ein absolutes Ende hin, sondern beruht auf *früher* und *vorher*, *später* und *nachher* in bezug auf einen hervorragenden mittleren Zeitpunkt.

Man kann zwar die Ansicht vertreten, daß die Schöpfung der Welt als eine absolute zeitliche Abschußrampe gelten kann. Aber zwei Umstände geben auch hierin Bedenken auf: Wenn wir die Schöpfungstradition und spätere Anspielungen auf sie in der biblischen Literatur in ihrer Gesamtheit betrachten, kann man schwer entscheiden, ob die vorherrschende Auffassung die einer creatio ex nihilo ist – einer souveränen Schöpfung aus einem absoluten Nichts – oder ob der Schöpfergott als Demiurg fungierte, der der schon existierenden chaotischen Materie Form und Wesen verlieh. Wichtiger als dieses Problem, das Philosophen, Theologen und Exegeten bis auf den heutigen Tag beschäftigt, ist die Abwesenheit einer alttestamentlichen Chronologie, die von der Weltschöpfung ihren Ausgang nimmt. Den vorsintflutlichen Sagen und Legenden, in denen dies der Fall zu sein scheint, kann kein geschichtlicher Wert zugemessen werden, und sie wurden wohl auch von unseren biblischen Vorfahren nicht als ein verläßliches chronologisches Fundament ihrer eigenen Geschichte und der Weltgeschichte betrachtet.

Aufschlußreich für das Zeitverständnis der alten Hebräer sind chronologische Bezeichnungen, die sich um einen Mittelpunkt drehen. So erwähnt beispielsweise der nachexilische Prophet Sacharja (1,4; 7,12) seine Vorgänger unter der Bezeichnung *nebūm rischōnīm* und spielt damit auf Propheten wie Amos, Hosea, Jesaja, Jeremia und andere an, die vor der Zerstörung des Ersten Tempels (im Jahr 586 v. Chr.) tätig waren. Er selbst wird mit Haggai und

Maleachi zu den *nebūm acharōnīm* gerechnet, die nach diesem Krisenpunkt am Ende des 6. Jahrhunderts nach der Rückkehr aus dem babylonischen Exil auftraten. Es ist falsch, diese hebräischen Termini „Erste" und „Letzte Propheten" zu übersetzen und damit eine absolute Chronologie zu suggerieren. Die richtige Wiedergabe ist „Frühere" und „Spätere Propheten". Den „früheren" gingen vorschriftliche Seher voran wie Samuel, Ahija und Gad (1 Sam; 2 Sam, Kap. 7;12; 24; und 1 Kön, Kap. 1;11;14 u. a.). Ebenso wird das Kommen von Nachfolgern der „späteren" Propheten erwartet. Das Buch des letzten biblischen Propheten Maleachi endet mit einer Aussage, in der das Kommen des Propheten Elija „vor dem Einbruch des großartig furchtbaren Tages des Herrn *(jōm jahweh)*" (3,23–24), also in einer zukünftigen, historisch nicht definierten Zeit angezeigt wird. So wird wiederum der letzte der „späteren", das heißt der nachexilischen Propheten erneut in eine Folge eingereiht, in der er ein relativ, nicht ein absolut „letzter" ist.

Die gleiche relative Zeitauffassung spiegelt sich in den Worten des Propheten Haggai, der den nachexilischen Tempel als *acharōn* dem vorexilischen, von Salomo gebauten und mit *rīschon* bezeichneten, gegenüberstellt (Hag 2,9). Hier ist mit *acharōn* zweifellos nicht der „letzte", sondern der Zweite Tempel gemeint. Diesem könnte prinzipiell noch ein dritter und auch ein vierter folgen. In der Tat erwartet die spätere Gemeinde von Qumran (2. Jahrhundert v. Chr. bis 1. Jahrhundert n. Chr.) im „Neuen Jerusalem" den Bau eines Tempels, der ihren Auffassungen, die von denen der Hauptströmung des zeitgenössischen Judentums mannigfaltig abwichen, entsprechen wird.[17]

Und noch ein Beispiel. Das Buch Amos wird eröffnet mit der Datierung des Beginns der Sendung des Propheten „zwei Jahre vor dem Erdbeben in der Regierungszeit des Königs Usija" (1,1; vgl. Sach 14,5). Von gleicher Art sind Erwähnungen von Geschehnissen, die sich soundso viele Jahre „vor der Gründung der Stadt Zoan

---

[17] *Y. Yadin,* Megillat ham-Miqdaš. The Temple Scroll, Hebrew Edition, Jerusalem 1977; *J. Maier,* Die Tempelrolle vom Toten Meer, München-Basel 1978.

in Ägypten" (Num 13,22) ereigneten. Diese Zeitzählung könnte mit der geläufigen verglichen werden, die ja auch für die vorchristliche Ära keinen absoluten Ausgangspunkt hat und deshalb vorwärts und rückwärts rechnet – „vor" und „nach Christi Geburt".

Die relative chronologische Definierung von Geschehen aufgrund eines zeitlichen Abstandes – „vor" und „nach" einem markanten Mittelpunkt, anstelle von polar entgegengesetzten „Beginn" und „Ende" – scheint im allgemeinen der ziemlich vagen Zeitauffassung der hebräischen Sprache zu entsprechen. Das hebräische Verb kennt keine klar umschriebene Zeitenfolge, weder in der Vergangenheit noch in der Zukunft. Es gibt nichts, was der Stufung: Imperfekt, Perfekt, Plusquamperfekt, geschweige denn dem Aorist gleichkäme, noch ein erstes und zweites Futur. Im Prinzip kennt man nur zwei Modi: eine „perfekte", das heißt eine zu Ende gekommene Handlung und ein „imperfektes" Geschehen, dessen Beginn in der fernen Vergangenheit liegen mag und das sich durch die Gegenwart bis in eine unbestimmte Zukunft erstrecken kann. „Zeit" befindet sich in einem ewigen Fluß und geht von einer Stufe in die andere über, ohne teleologisch auf ein Endziel hinzustreben.

Es ist daher verständlich, daß, wie schon gesagt, die biblische Sprache kein Äquivalent für das griechische *eschatos* oder *eschaton* im Sinne eines absoluten Letzten aufweist. Diese Behauptung muß jetzt unterbaut werden. Die prägnantesten Textpartien, auf die man sich in der Eruierung einer alttestamentlichen Eschatologie stützt, sind meistens mit einigen hebräischen Termini überschrieben, die die griechische Übersetzung in der Tat meistens mit *eschatos* wiedergibt. Wir müssen uns aber fragen, ob diese Übersetzung den Inhalt der hebräischen Termini einigermaßen genau trifft. Die Inhaltsbestimmung dieser Begriffe kann mit Hilfe von Wörterbüchern und antiken oder modernen Übersetzungen nicht ausreichend festgelegt werden, da diese nichthebräischen Hilfsmittel oft aus einem dem Alten Testament nicht angepaßten Blickfeld operieren. Die Untersuchung muß von dem Befund ausgehen, den uns die hebräische Bibel bietet, und sollte vornehmlich auf einem

sprachlichen Vergleich mit internen Parallelen fundieren, die Aufschlüsse über die Bedeutung der relevanten Ausdrücke geben können. Die als eschatologisch verwerteten Texte sind oft durch den Gebrauch von einem von drei Ausdrücken gekennzeichnet:
1. Seit der Zeit des ersten Sendepropheten Amos (ca. 750 v. Chr.) findet sich in der alttestamentlichen Literatur der Begriff *jōm jahweh* oder *jōm adonaj* – „der Tag Jahwes" oder „der Tag des Herrn" (Am 5,18–20), manchmal einfach *hajjōm hahū* – „jener Tag" bezeichnet, wie etwa in dem schon angeführten Vers Mal 3,23. Die Übersetzung, der man begegnet – „der jüngste Tag" oder „der Tag des jüngsten Gerichts" – ist christologisch akzentuiert und ist nicht ohne Vorbehalt annehmbar. Aber gerade diese Umschreibung des *jōm adonaj* hat dazu beigetragen, daß diesem Tag oft ein eschatologischer, weltendlicher Charakter zugeschrieben wird. G. von Rads Interpretation des Begriffs bewirkte, daß der *jōm jahweh* als Ausdruck einer altertümlichen israelitischen Endzeithoffnung aufgefaßt wird, die der Prophet Amos übernommen hat. Ursprünglich, wird gesagt, verstand man den „Tag Jahwes" als eine zukünftige Zeit, in der Israel sich an den Völkern, die es unterdrückten, rächen wird, was zugleich auch als göttlicher Strafvollzug aufgefaßt wurde. Amos hat diesem nationalen Rachetraum eine neue Wendung gegeben und ihn mit der prophetischen Moralität investiert: Es ist der Tag, an dem Gott über alle Frevler zu Gericht sitzen wird, vorerst über die Sünder in seinem Volk.[18]
Das Motiv des „Tages des Herrn" tritt nur in der prophetischen Literatur auf und findet kaum einen Widerhall in der älteren Historiographie, den Gesetzessammlungen oder den poetischen Stücken des Alten Testaments. Mein Kollege M. Weiss hat daher die Altertümlichkeit der Konzeption und des Begriffs in Frage gestellt. Er ist der Auffassung, daß Amos der Innovator der Idee war, die auch nach ihm nur in prophetischen Kreisen Anklang fand.[19]

[18] Eine kurzgefaßte Übersicht vermittelt W. S. *McCullough*, Israel's Eschatology From Amos to Daniel, in: J. M. Wevers – D. B. Redford (Hrsg.), Studies on the Ancient Palestinian World, Presented to F. V. Winnett . . ., Toronto 1972, 86–101.
[19] M. *Weiss*, The Origin of the „Day of the Lord" Reconsidered, in: Hebrew Union College Annual 37, Cincinnati 1966, 29–71.

2. *qētz*. Dieser Begriff taucht in apokalyptischen Visionen in den Büchern Ezechiel und Daniel auf (Ez 21,30.34; 35,5; Dan 8,17.19; 11,27.35.40; 12,4.9) in Verbindung mit den qualifizierenden Vokabeln *ēt* und *mōēd*, die beweisen, daß hiermit auf einen festgesetzten, vorausbestimmten Zeitpunkt angespielt wird, der am „Ende einer Zeitspanne" liegt, aber nicht notwendigerweise am „Ende der Zeiten". In diesen Fällen ist daher die Übersetzung von *qētz* durch „Letztzeit", der man oft begegnet, irreführend oder zumindest ungenau. Die philologisch-literarische Analyse beweist, daß die unter 1. und 2. betrachteten Begriffe sich nicht auf eine teleologisch erfaßte „Endzeit" beziehen, sondern auf einen von Gott bestimmten Termin, an dem eine Geschichtswende einsetzen wird, und zwar an einem innergeschichtlichen, nicht nach- oder übergeschichtlichen Zeitpunkt. Der Charakter der Inner-Geschichtlichkeit muß besonders hervorgehoben werden, da er höchst aufschlußreich für die biblischen Zukunftserwartungen ist.

Der zeitliche Abstand des Sprechers oder des Autors in seiner Gegenwart von dem Zeitpunkt des in der Geschichte erwarteten Umbruchs wird etwas genauer durch die Bezeichnung 3. *acharīt hajjāmīm*, manchmal *acharīt haschānīm* präzisiert. Diese Begriffe werden meistens durch „Ende der Zeiten" oder „Ende der Weltjahre" wiedergegeben.[20] Aber wiederum legt eine Untersuchung des biblischen Sprachbefundes nahe, daß die Vokabel *acharīt* – wie das von der gleichen Wurzel abgeleitete Wort *acharōn* – oft mit „Nachkommenschaft" gleichzusetzen ist und auf die nächste oder übernächste Generation hinweist (Dtn 29,21; Joel 1,3; Ps 37,37.38; 78,6; 109,13), also einer immanenten Zukunftshoffnung in der Geschichte Ausdruck gibt (vgl. Jer 23,20; 30,24; Ez 38,8.16; Hos 3,4–5). Ich möchte diese Behauptung durch einige wenige Texte erhärten:

---

[20] Hierzu: *J. Carmignac*, Der Begriff „Eschatologie" in der Bibel und in Qumran, in: Eschatologie in der Bibel und in Qumran, Darmstadt 1978, 306–324; *H. Kosmala*, At the End of the Days, in: Annual of the Swedish Theological Institute II, Leiden 1965, 27 ff; *H. Seebaß*, acharīt, in: Theologisches Wörterbuch zum Alten Testament (ThWAT) Bd. I, Stuttgart 1971, 224–228.

a) In seiner Abschiedsrede mahnt Mose das Volk Israel, Gottes Gebote einzuhalten, und droht mit göttlicher Strafe gegen die Sünder: „Ich weiß, daß ihr *nach meinem Tode (acharē mōtī)* . . .von dem Weg, den ich euch anbefohlen habe, abweichen werdet, und dann *(be-acharīt hajjāmīm)* wird euch Unheil befallen. . ." (Dtn 31,29; vgl. Dan 2,28; 10,14). In einer für den biblischen Stil charakteristischen Struktur werden hier in den zwei Versteilen die Ausdrücke *acharē mōtī* und *be-acharīt hajjāmīm* gleichgesetzt. Der Sinngehalt des Begriffs *acharīt hajjāmīm,* um den es uns hier geht, wird also durch „nach meinem Tod" expliziert. Die von Mose vorausgesehenen Umstände werden demnach nicht an einem „Ende der Zeiten" eintreten, sondern nach einer kürzeren oder längeren, aber absehbaren Zeitfrist in der Geschichte (vgl. Gen 49,1). Wie andere biblische Gestalten fürchtet Moses, daß nach seinem Ableben das Volk durch sein Vergehen gegen die von ihm gelehrten Gebote schuldig werden und dadurch dem göttlichen Zorn verfallen wird (vgl. Jos 24,1 ff; 1 Sam 12,6 ff u. a.).

b) Eine ähnliche zeitliche Gleichsetzung von *acharīt* (diesmal ohne *hajjāmīm)* mit der Zeit „nach dem Tod" findet sich in dem Bileamspruch Num 23,10. Im Hinblick auf die Erwähnung der „Zahlreichigkeit Israels" in der ersten Vershälfte ist die zweite Hälfte (etwas frei) zu übersetzen: „Möge ich einen ehrlichen Tod sterben, und meine Nachkommenschaft *(acharītī)* wie die seine (Israels) sein" (vgl. 24,20).

c) Die gleiche Bedeutung muß der Vokabel *acharīt* auch in Am 4,2 zugeschrieben werden. In einem Strafspruch, in dem der Prophet die Eroberung von Samaria und die Deportation der Einwohner androht, nimmt er besonders auf die Frauen der Reichen Bezug: „Euch wird man mit Haken wegschleppen, und eure Tochter-Nachkommen *(we-acharītchen)* mit Fischhaken".[21] Eine ähnliche Übersetzung ist auch in Am 8,10; 9,1 und Ez 23,25 angebracht.

---

[21] So richtig aufgefaßt von *H. W. Wolff,* Dodekapropheton 2, Biblischer Kommentar, Altes Testament, Bd. XIV/2, Neukirchen-Vluyn; falsch verstanden u. a. von *Th. H. Robinson – F. Horst:* „da trägt man euch fort mit Haken und euren Hintern mit Fischhaken" (Die zwölf kleinen Propheten, HAT, Erste Reihe 14, Tübingen 1954).

d) Besonders klar ist die Sachlage in Ez 23,25. In einem Unheilsspruch, der an Juda (hier Oholiba benannt) gerichtet ist, wird die Zerstörung durch die Babylonier angedroht, die ihren Zorn am Volk auslassen werden. Die Floskel „acharītēch" wird durch das Schwert umkommen" wird durch den Zusatz erklärt: „Diese sind deine Söhne und Töchter, acharītēch (deine Nachkommenschaft) wird das Feuer verzehren" (vgl. Dtn 32,20.29; Jer 31,17; Spr 23,18; 24,14.20).

Diese sprachliche Untersuchung, die durch weitere Beispiele unterbaut werden kann, zeigt, daß in der hebräischen Bibel die in der Geschichte verankerte Zukunftshoffnung die Idee einer metahistorischen Eschatologie überwiegt. Damit soll nicht notwendigerweise gesagt sein, daß das Alte Testament nicht auch Keime einer Auffassung enthält, die über die Geschichte hinausweist. Aber die sprachliche Analyse von Begriffen, die auf eine Zukunft zielen, deutet an, daß sie sich vorwiegend auf ein baldig erwartetes geschichtliches Geschehen beziehen.

Die Geschichtsgebundenheit der Zukunftserwartungen paßt gut in den Rahmen des biblischen Geschichtsverständnisses allgemein, das sich effektiv auf etwa sieben bis acht Generationen erstreckt: drei bis vier vor und drei bis vier nach der Gegenwart des jeweiligen Sprechers oder Autors (Jer 27,7). Diese Erfassung der Geschichte, im Rückblick und im Blick auf die Zukunft, kommt in biblischen Motiven und Konzeptionen zum Ausdruck. Die Traditionen von drei Generationen von Erzvätern und Erzmüttern mögen als Illustration dienen. Jakob zieht mit „seinen Kindern und Kindeskindern" nach Ägypten (Gen 46,6–7; vgl. Ri 12,14; Jer 29,6; Chr 8,40). Wer Kinder und Enkelkinder erlebt, gilt als gesegnet (Ps 128,6; vgl. 17,14). Sprichwörtlich glücklich ist, „wer Enkelkindern vererbt" (Spr 13,22). Sie sind der Prunk des Großvaters (Spr 17,6). Besonders ausgezeichnet ist der Mensch, der noch zu seinen Lebzeiten Urenkel sieht, wie Josef (Gen 50,23) und Hiob (42,16). Was über diesen Zeitraum hinausgeht, wird nicht genau umrissen, sondern überschwenglich mit „seit Urzeiten" oder „für immer", „in Ewigkeit" bezeichnet. So etwa Ez 27,25: „Sie werden in dem Land wohnen, das ich meinem Knecht Jakob gegeben habe, und in dem ihre Väter gewohnt haben; sie werden in ihm wohnen, sie und ihre Kinder und ihre Kindeskinder für immer, und mein Knecht David wird *für immer* ihr König (Fürst) sein"; Ps 132,12: „Wenn deine Söhne (David) meinen Bund und die Satzungen befolgen werden, die ich sie lehrte, dann werden auch ihre Söhne *für immer* auf deinem Thron sitzen" (vgl. Jer 35,6; 1 Chr 28,8; ferner 2 Kön 17,41).[22] Derselben Auffassung begegnen wir in Sprüchen und floskelartigen Wendungen, in denen Strafe angedroht wird, die über die Lebenszeit des Frevlers hinausgeht. So Jer 2,9: „Daher werde ich noch mit euch rechten, sagt Jahweh, und mit euren Kindern und Kindeskindern werde ich rechten." Der Gott Israels ist ein eifernder Gott, „der die Sünden der Väter an den Kindern, am dritten und vierten Geschlecht heimsucht"; seine Liebe zeigt er seinen Getreuen „bis ins tausendste Geschlecht" (Ex 20,5; 34,7; Num 14,18; Dtn 5,9; Ps 103,17).

III

Wir können uns jetzt dem Versuch zuwenden, die alttestamentlichen Zukunftshoffnungen in großen Zügen zu umreißen. Ich möchte betonen, daß das Ergebnis ein Kompositum sein wird, das aus Teilstücken zusammengesetzt ist, die verschiedenen Schichten der biblischen Literatur entnommen sind. Die Darstellung kann daher nicht systematisch sein, weder in bezug auf bestimmte Perioden im biblischen Zeitalter, noch in bezug auf eine Rekonstruktion der vermutlichen Entwicklung, der die Zukunftserfassung im Gesamtrahmen der biblischen Epoche unterworfen war. Wir können also nur auf Grundelemente der Zukunftsschau

---

[22] Man kann die Auffassung vertreten, daß auch der Ausdruck leōlām, der meistens „für ewig" oder „für immer" übersetzt wird, sich auf eine beschränkte Zeitspanne bezieht. Siehe dazu E. *Jenni,* Das Wort leōlām im Alten Testament, Berlin 1953, und *P. A. H. de Boer:* „leolam, à jamais, connote dans l'Ancien Testament et dans les textes extrabibliques où on la rencontre une longue durée de vie. Il n'est en aucun cas question d'une vie éternelle": VT 5 (1955) 226.

hinweisen, die, wenn nicht in allen, so doch in den für unsere Frage hauptsächlichsten alttestamentlichen Texten ans Licht treten und trotz aller Unterschiedlichkeit auf einen gemeinsamen Generalnenner zurückgeführt werden können. Das daraus resultierende Mosaik wird notgedrungen lückenhaft bleiben.

Auf dem Hintergrund der schon aufgezeigten Geschichtsgebundenheit der biblischen Zukunftshoffnung ist es verständlich, daß diese vorzüglich durch eine restaurative Tendenz gezeichnet ist. Sie basiert auf der erwarteten Wiederherstellung einer in der Geschichte schon erfahrenen Situation, die, das muß betont werden, durch eine utopische Färbung idealisiert wird. Man glaubt, daß die erhoffte *Zeitenwende* (nicht das *Zeitenende*) eine unendlich verbesserte „Neuausgabe" dessen, was realiter schon einmal bestanden hat, mit sich bringen wird. Dieses visionshafte Bild könnte etwa überschrieben werden: Hoffnung ist Verpflanzung einer Erinnerung in die Zukunft. Man will erfahrene Geschichte von neuem erleben, ohne die Fehlschläge, die der Vergangenheit, und ohne die Makel, die der Gegenwart anhaften.

Martin Buber hat die Doppelschichtigkeit der israelitischen Zukunftshoffnung in bestechender Kürze folgendermaßen charakterisiert: „. . .die ‚eschatologische' Hoffnung – in Israel, dem ‚geschichtlichen Volk schlechthin' (Tillich), aber nicht in Israel allein – ist zuvor immer Geschichtshoffnung; sie eschatologisiert sich erst durch die wachsende Geschichtsenttäuschung. In diesem Vorgang bemächtigt der Glaube sich der Zukunft als der unbedingten Geschichtswende, sodann als der unbedingten Geschichtsüberwindung. Von da aus erklärt sich, daß die Eschatologisierung jener aktuell-geschichtlichen Vorstellungen ihre Mythisierung einschließt. . . Der Mythos ist die spontane und rechtmäßige Sprache des erwartenden wie des erinnernden Glaubens. Aber er ist nicht seine Substanz. . . Das echte eschatologische Glaubensleben ist – in den großen Wehen der Geschichtserfahrungen – aus dem echten Geschichtsleben geboren; jeder andere Ableitungsversuch mißkennt sein Wesen".[23]

[23] *M. Buber*, Königtum Gottes, Berlin 1932, Vorwort X–XI.

Den restaurativen, mit utopischen Fäden durchschossenen Grundstoff hat die „Eschatologie als Funktion des Geschichtserlebnisses"[24] gemeinsam mit der Messias (hebräisch – Maschiach)-Idee.[25]
In der nachbiblischen jüdischen und christlichen Gedankenwelt
wurde die unzertrennliche Verflechtung von *Eschatologie* und
Messianismus eine unbestreitbare Tatsache. Das ist aber im Rahmen
des biblischen Glaubens nicht von vornherein der Fall. Es ist, wie
schon gesagt, unmöglich, aufgrund eindeutiger Angaben in den
alttestamentlichen Schriften Entwicklungsläufe von Konzeptionen
einigermaßen objektiv zu rekonstruieren. Trotzdem darf man wohl
die These vorlegen, daß in vermutlich frühen Schichten der
altisraelitischen Literatur *eschatologische* und *messianische* Visionen in relativer Unabhängigkeit voneinander auftreten. Die proto-
typisch-eschatologische oder besser *spätzeitliche* Vision, die in den
Büchern von zwei Propheten des achten vorchristlichen Jahrhunderts enthalten ist – Jes 2,1–5 und Mich 4,1–5 –, also Vertretern
der ersten Generation von Sendepropheten zugeschrieben wird,[26]
nimmt in keiner Weise auf eine Maschiach-Messias-Figur Bezug.
Das gleiche gilt für weitere, zum Teil schon erwähnte, oft als
eschatologisch gewertete Texte. Im Unterschied dazu beziehen sich
andere visionär-messianische Passagen, wie Jer 23,5–6 (oder 5–8),
ausschließlich auf den zukünftig erwarteten Sproß aus dem Hause
Davids, also auf eine königliche Figur, weisen keine universali-
stisch-echatologischen Züge auf und reflektieren eindeutig histori-
sche Erfahrungen (vgl. Jer 22,1–5; 1 Kön 5,6; 9,17–22; 1 Sam 8,11;
Dtn 18,16–17).
Man kann zwei prinzipiell unterschiedliche Zukunftserwartungen
aus den hebräischen Texten eruieren. Wenn man zu deren

---

[24] *V. Maag,* Eschatologie als Funktion des Geschichtserlebnisses: Saeculum 12 (1961)
123–130.
[25] *G. Scholem,* Zum Verständnis der Messianischen Idee im Judentum, in: Eranos Jahrbuch
XXVIII (1959) 193–239; – Judaica, Frankfurt a. M. 1963, 7–74.
[26] Die Frage kann offengelassen werden, ob Micha von Jesaja oder Jesaja von Micha beeinflußt
wurde, oder ob beide unabhängig voneinander eine ihnen vorliegende Quelle zitieren. Auf
jeden Fall dürfte der Visionsspruch aus der Frühzeit der biblischen Sendeprophetie
stammen.

Bezeichnung den Begriff *Eschatologie* verwenden will, unter Berücksichtigung der oben angeführten Bedenken, kann man von einer *Situations-Eschatologie* und einer *Messias-Eschatologie* sprechen. Die Verschmelzung der beiden Konzeptionen setzt schon in den Schriften der hebräischen Bibel ein, kommt aber aufs schärfste in der christlich-messianischen Eschatologie zum Ausdruck. Das ist zum Teil dadurch zu erklären, daß die Erwartung der *Endzeit* im christlichen Glauben aus dem Bild einer einstmals erfahrenen *Urzeit* erwuchs, der selbst die Glaubenswerte und das Imago einer *Endzeit* anhaften, die Epoche, in der das *Eschaton* Geschichte wurde. Die Personifizierung der Messiasidee in Christus ermöglichte ein Durchschreiten der Pforte, die in das *endzeitliche (eschatologische)* Gottesreich führt. Die nachherige Erkenntnis des in der Geschichte nicht-endgültigen Wesens jenes dem Glauben nach *endzeitlichen* Erlebnisses bewirkte, daß die Realisierung der erwarteten Endzeit in einen historisch nicht mehr erfaßbaren Äon verlegt wurde. Gleichzeitig wurde das *urzeitliche* Vorbild aus der historisch bestimmten Situation Israels in der alttestamentlichen Epoche herausgehoben und in die nach ihr liegende ur-christliche verpflanzt. Damit trat auch eine Enthistorisierung ein und ein endgültiges Scheiden des eschatologischen Bildes von realgeschichtlichen Vorbildern.[27]

Eine in vielem parallele Entwicklung läßt sich auch in nachbiblischen jüdischen Zukunftserwartungen feststellen, in denen das „Messianische" in den Mittelpunkt des Bildes rückte. Gershom Scholem hat die unhistorische Natur dieses nachbiblischen jüdischen Messianismus folgendermaßen umrissen: „Die Größe der messianischen Idee entspricht der unendlichen Schwäche der jüdischen Geschichte. . . Sie hat die Schwäche des Vorläufigen, des Provisorischen, das sich nicht ausgibt. . . In der Hoffnung leben ist etwas Großes, aber es ist auch etwas tief Unwirkliches. . . So hat die messianische Idee im Judentum das *Leben im Aufschub* erzwungen,

---

27 Siehe dazu: S. *Talmon*, Typen der Messiaserwartung um die Zeitenwende, in: Probleme biblischer Theologie, Gerhard von Rad zum 70. Geburtstag, hrsg. von H. W. Wolff, München 1971, 571–588.

in welchem nichts in endgültiger Weise getan und vollzogen werden kann. Die messianische Idee – darf man vielleicht sagen – ist die eigentliche antiexistentialistische Idee."[28] Diese Charakterisierung trifft nicht auf die alttestamentliche Zukunftserwartung zu. Die Glaubenswelt des alten Israel zeichnet sich durch einen Realismus und einen Aktivismus aus, die auch in den Vorstellungen über die nach einer radikalen Weltwende liegenden Zukunft zum Ausdruck kommen. Die Urzeit, die der erwarteten Zukunft als Vorbild gilt, ist dargestellt in den Geschichtsbüchern der hebräischen Bibel und in den Büchern der Propheten, die vor der Zerstörung des ersten und zu Beginn des zweiten Tempels tätig waren. Die diesem geschichtlichen Vorbild eigentümlichen gesellschaftspolitischen Ideen und Glaubensfundamente finden ihren Ausdruck in Drohorakeln und Trostsprüchen der Propheten und in Liedern der Psalmisten. Die bei all diesen biblischen Autoren vorherrschende Ausrichtung, die auch die von ihnen gelieferten Zukunftsvisionen durchdringt, gründet in der realen Geschichtssituation der davidisch-salomonischen Epoche. Die erhoffte Restitution jener Zeit, von ihren Schlacken gereinigt, idealisiert und in einem gewissen Ausmaß utopistisch verklärt, dient als Grundriß für die Zeichnung der „kommenden Tage". Man könnte etwas schematisierend sagen, daß die restaurative Ausrichtung in dem biblischen Zukunftsbild in den Geschichtsbüchern verankert ist, während der utopische Überbau aus den Propheten und den Psalmen gewonnen wurde.

IV

Die Zukunftshoffnung ist ausgezeichnet durch eine erwartete *Neuerung des Bundes*, den der Gott Israels mit seinem Volk geschlossen hatte.[29] Diese *Neuerung* wird wahrlich als ein *Neube-*

[28] *Scholem*, a. a. O. (Anm. 25), 238–239.
[29] Hierzu M. *Weinfeld*, berît, in: ThWAT I, 781–808.

ginn angesehen. Und doch handelt es sich nicht um einen völlig *Neuen Bund.*[30] Der hebräische Ausdruck *berīt chadaschāh* muß wiederum relativ, nicht absolut interpretiert werden. In dem *Neuen Bund* pflanzen sich die Prinzipien der *Bünde* fort, die Gott in verschiedenen Stadien der biblischen Geschichte mit Israel geschlossen hat. Dies scheint ein Grundelement der biblischen Bundestheologie zu sein: Es besteht eine Konstante – das Bundesverhältnis zwischen Gott und seinem Volk. Dieses bedarf von Zeit zu Zeit der Erneuerung. Die Gründe für die Erneuerungsnotwendigkeit können Krisensituationen in der Geschichte des Volkes sein: Neue Umstände erfordern eine diesen Umständen angepaßte Neuerung des Bundes. Der Bund, den Gott in der Zukunft wieder mit Israel schließen wird, ist ein weiteres Glied in der Kette, die mit dem zur Zeit der Schöpfung der Welt zwischen Gott und Mensch geschlossenen Bund beginnt. Das deutet Hosea an. In der Zeichnung des zukünftigen Bundes greift er auf Bilder und Ausdrücke zurück, die aus der Schöpfungsgeschichte entlehnt sind: „Ich werde euch an ‚jenem Tag' einen Bund mit den Tieren des Feldes, mit den Vögeln des Himmels und dem Gewürm des Erdbodens schließen" (Hos 2,20). Hier hört man klar ein Echo der Worte, mit denen Gott seinen („Neuen") Bund mit Noach etablierte: „Und Gott sprach zu Noach und seinen Söhnen (die) mit ihm (waren): Wahrlich, ich errichte heute einen Bund mit euch und euren Nachkommen, und mit allen lebendigen Wesen, die bei euch sind, an Vögeln und Vieh und allem Wild des Feldes, die aus der Arche gekommen sind, allem Getier der Erde" (Gen 9,9–10; vgl. 9, 12–17). Diese Worte greifen ihrerseits auf den Bund mit Adam zurück (Gen 1,26–30). Der Bund mit Noach, dem „Neuen Adam", symbolisiert die „Neuschöpfung" der Welt, nachdem die erste Schöpfung in der Sintflut wieder zu Tohuwabohu, zunichte geworden war. Dieser Bund wird auch von Jeremia in seiner Zukunftsschau aufgegriffen. Nach der Sintflut sicherte Gott Noach

---

[30] Siehe: *H. Weippert*, Das Wort vom Neuen Bund in Jeremiah XXXI 31–34, in: VT 29 (1979) 336 ff.; *C. Westermann*, Genesis I, Neukirchen-Vluyn 1974, 633 f.

zu, daß er nie wieder die Welt vernichten werde (Gen 8,21; 9,9–15). Er setzte den Regenbogen in die Himmelswolken als ewiges Malzeichen dafür, daß er die von ihm souverän geschaffene kosmische Ordnung für ewig aufrechterhalten wird: Solange die Welt besteht, wird (die Folge von) Saat und Ernte, Kälte und Hitze, Sommer und Winter, Tag und Nacht nicht mehr aufhören (Gen 8,21 f). Mit der Schließung des Noachbundes ist der Rhythmus der Natur für immer festgelegt. Dieses unumstößliche Gesetz ist für Jeremia die Grundfeste der zukünftigen (hinnēh yāmīm bāīm) Bundesneuerung, des „Neuen Bundes", den Gott mit Israel und Juda schließen wird (Jer 31,31–37): „So hat Jahwe gesprochen, der die Sonne bestimmte als Tagesleuchte und Mond und Sterne einsetzte zum Erleuchten der Nacht; der das Meer beschwichtigt, wenn seine Wellen toben, Jahwe der (himmlischen) Heerscharen ist sein Name." Sowenig diese Ordnungen je ins Schwanken kommen werden, ebensowenig wird Israel jemals aufhören, als Volk vor Gott zu bestehen.[31] Diese zitatartigen Sprüche der Propheten dürfen nicht nur als sprachlich-literarische Finessen aufgefaßt werden. Mit dem Rückgriff auf Redewendungen, die im Wortlaut des „Ur-Bundes" verankert sind, und mit ihrer Anwendung auf den „Zukunfts-Bund" weisen Hosea und Jeremia auf den beiden Bünden gemeinsamen Grundstoff hin: die alte Ordnung ist nicht überholt, sondern der Erneuerung bedürftig.[32] Die augenscheinlich nur literarische Wiederholung akzentuiert in Wirklichkeit eine Ideenbrücke, die den „zitierenden" Komponenten mit dem „zitierten" verbindet. Die sprachliche Verbindung gibt „schlagwortartig" einer tiefsten Gedankenverbindung Ausdruck. Sie ist ein wichtiger Faktor im literarischen Apparat der hebräischen Bibel. Das haben die alten jüdischen Exegeten erkannt und in ihrer Interpretationsmethodik angewandt. Diesem schriftstellerisch-technischen Mittel steht im Rahmen der Bibel eine Aufgabe zu, die in anderen literarischen Komplexen ein theologischer oder philosophischer

---

[31] Ebd.
[32] Hierzu: *M. Buber*, Leitwortstil in der Erzählung des Pentateuch, in: op. cit. (Anm. 12), 211–238 u. a. O.

Exkurs erfüllt. Auch hierin zeigt sich die biblische Tendenz, theoretische Überlegungen zu vermeiden und Ideen und Konzeptionen durch konkrete sprachlich-literarische Mittel dem Eingeweihten verständlich zu machen. Die altisraelitischen Hörer und Leser waren mit dieser Technik sicher vertraut und konnten mit ihrer Hilfe die implizierten Gedankenverbindungen ohne besondere Schwierigkeiten herstellen.

Der erwartete „zukünftige Bund" ist nicht nur eine Wiederherstellung des „Ur-Bundes". Wie schon gesagt, haften in seiner Zeichnung Idealvorstellungen, die einen erhofften universalen Frieden und eine politisch-gesellschaftliche Ordnung, die die gesamte Menschheit umfassen, besonders stark in den Vordergrund rücken. Dieser universalistische Zug läßt sich aus dem gleicherweise universalistisch-anthropologischen Bund des Schöpfers mit Adam und mit Noach herleiten. Die visionär-utopistische Färbung, die die Propheten dem Bild geben, betont den universalistischen Zug noch stärker. Man kann aber in der grandiosen Darstellung der Zukunft auch Elemente erkennen, die aus der (realen) Geschichte Israels gewonnen sind. Um diese These zu unterbauen, müssen wir auf die obige Annahme zurückgreifen, daß die hebräische Bibel eine Auffassung darlegt, derzufolge der Bund in verschiedenen Entwicklungsstadien des Volkes „erneuert" wurde. Eine kurze Darstellung wird dies verdeutlichen. Auf den vor-israelitischen Bund des Schöpfers mit der Menschheit, personifiziert in Adam und Noach, folgt der Sonderbund mit Abraham (Gen 15–18; 17,2–19), Isaak (Gen 17,21; 16,1–5) und Jakob (Gen 28,13; 35,10–15; vgl. 32,23–31; 48,3–4). Rückblickend wird er in einer Gesamtsicht als „Bund mit den Vätern" bezeichnet (Ex 26,42; Dtn 4,31; Jer 34,13; Mal 2,10; Ps 105,8–10). In der Sinai-Offenbarung wird der Bund auf ganz Israel, das aus der ägyptischen Knechtschaft erlöst wurde, erweitert (Ex 34,10; Num 5,2). Zu dieser Zeit erneuert Gott den „Bund mit den Früheren" (Lev 26,45), den er mit der Sippe der Vorväter geschlossen hatte, als „Volksbund". Durch den „erneuten" Bund wird Israel in seiner Jugendzeit (Ez 16,8.60) „geheiligt", erwählt und von allen anderen Völkern gesondert (Ex 19,5; 24,8;

34,28; Dtn 7,6; Dan 11,28–30). Der Bund wurde „für ewig" geschlossen (Ex 31,11–16; 34,12; Lev 24,8; Dtn 4,23; 29,9 ff; vgl. Ri 2,1; 2 Kön 17,35; Jes 24,5; 55,3; Jer 32,40; Ez 16,60; Ps 89,35). Jetzt gelten die „Bundestafeln" (Dtn 9,9 ff) und die „Bundeslade" als Malzeichen des Bundes Gottes mit seinem Volk (Num 10,33; 14,44; Dtn 10,8; Jer 3,16), wie der Regenbogen in den Wolken den „Ur-Bund" mit der Menschheit bezeugt.

Auch die Tradition eines Gottesbundes mit ausgezeichneten Persönlichkeiten wird fortgeführt. Wie einst die Vorväter, sind auch diese als Repräsentanten des Volksganzen anerkannt. So Mose (Ex 24,27), und so Aaron, der Vorvater des Priesterstammes (oder der Priestersippe), dessen Sonderstellung in einem „ewigen", durch ein „Salzritual" besiegelten Bund gefestigt wird (Lev 2,13; Num 18,19; 2 Chr 13,5).

Aufgrund dieser Betrachtungen können wir das Wesen und die Aufgabe des Bundes, den Gott mit David und seinem Haus „für ewig" schließt, besser verstehen (2 Sam 23,5; 2 Chr 21,7). Wie der Fortbestand des Bundes Gottes mit Israel ist auch die Beständigkeit des Bundes mit David und seinem Haus in der Sicht des Propheten Jeremia so unaufhebbar wie die Ordnung des Universums, die der Schöpfer nach der Sintflut festlegte (vgl. Jer 33,19–21 mit 33,25–26 und Gen 8,21–22). Wiederum muß auch dieser „für ewig" bestehende Bund von Zeit zu Zeit erneuert werden. Das geschieht immer nach Krisen, die das Haus Davids durchmachte, wie unter den Königen Asa (2 Chr 15,12), Joasch (2 Kön 11,17), Hiskija (2 Chr 29,10) und Joschija (2 Kön 23,3; 2 Chr 34,21). Ähnlich wie der Bund mit den „Vätern", mit Mose (und mit Aaron), ist auch der David-Bund nicht nur ein ausschließlich auf den König und sein Haus bezogenes Gelöbnis Gottes. In dem „Vertrag" mit der hervorragenden Persönlichkeit des Herrschers ist das Volk Israel als Ganzes mit eingeschlossen. Die Auffassung der davidischen Dynastie als Vertreter des Volksganzen kommt eindeutig in Beziehungen und in Wortbildern zum Ausdruck, die sich manchmal auf das königliche Haus beziehen und manchmal auf Israel. Auch in diesem Fall will die sprachlich-literarische Gleichheit als ein Hinweis auf die Parallelität von Volk und König verstanden sein.[33]

Die Erneuerung des Volksbundes in der Form des Davidsbundes wurde durch den radikalen Umbruch in der sozial-politischen Struktur Israels erforderlich: der Übergang von dem System der periodisch berufenen „Retter", von denen das Buch der Richter handelt, zur vererblichen Königsherrschaft. Mit der Gründung der davidischen Dynastie wurde das „Volk" Israel eine „Nation" im eigenen Staatsgebilde.[34] Die grundsätzlich verschiedene politisch-gesellschaftliche Situation war durch den „Bund mit den Vätern" und den „Volksbund am Sinai" nicht gedeckt. Daher bedurfte sie ihrerseits einer Legitimierung, die in dem David-Bund gegeben wird. Durch ihn verleiht der Gott Israels den historischen Fakten eine im Glauben haftende „rechtliche" Grundlage.

Auch die nachexilischen Berichte über „Vertragsschließung" der Rückkehrer mit Gott, die sich dem Wortlaut nach nur auf Teilaspekte des öffentlich-religiösen und zivilen Lebens beziehen, sind in der Tat umfassende „Bundeserneuerungen" (Esr 10,3; Neh 10,1–40, in Hinsicht auf Kap. 9). Die dort angewandte Terminologie *(berīt, amānāh, kārat)*[35] erweist eindeutig den „Bundes"-Charakter dieser Verträge. Sie sind ein weiteres Glied in der Kette der Bundeserneuerungen, von denen die Propheten sprechen (Jer 31,31–37; Hos 2,20).

So ist das Wesen des „Neuen Bundes" zu verstehen *(berīt chadāschāh)*, in den die spätere Qumrangemeinde eintritt. In ihrer Selbstauffassung verstanden sich die Mitglieder dieser Gemeinde, deren Schriften in Höhlen südlich von Jericho in der Nähe des Toten Meeres entdeckt wurden, als „Rückkehrer aus der Wüste der Völker", also als „Rückkehrer aus dem babylonischen Exil".[36] Der

---

[33] Siehe dazu S. *Talmon*, Kingship usw., (Anm. 8), 6–7.

[34] Hierzu: S. *Talmon*, Die Bedeutung Jerusalems in der Bibel, in: Jüdisches Volk – gelobtes Land, hrsg. von W. P. Eckert, N. P. Levinson, M. Stöhr, München 1970, 135–152, hier: 140–143.

[35] Siehe dazu den in Anm. 28 angeführten Artikel von *M. Weinfeld*.

[36] S. *Talmon*, Qumran und das Alte Testament: Frankfurter Universitätsreden Heft 42, Frankfurt a. M. 1972, 84–100.

Bund, den sie von neuem schlossen, gab ihrer Gottverbundenheit Ausdruck und ihrem Dank für die ihnen von Gott bewiesene Gnade. Der Bund legitimierte sie als den „Rest der Gerechten". In ihnen wurde, ihrer Anschauung nach, Israel nach der Zerstörung des Tempels wiederbelebt: „Und nun hört, alle, die ihr um Gerechtigkeit wißt, und achtet auf die Werke Gottes. Denn er hat einen Gerichtsstreit (*Lohse:* streitet) mit allem Fleisch und übt Strafgericht aus an allen (*Lohse:* hält Gericht über alle), die ihn verachten. Denn wegen ihres Treubruchs, da sie ihn verließen, hat er sein Angesicht vor Israel (und) seinem Heiligtum verborgen und sie dem Schwert preisgegeben. Weil er aber des Bundes mit den Vorfahren gedachte, hat er einen Rest übriggelassen in Israel und sie nicht der Vernichtung preisgegeben. Und in der vorbestimmten Zeitenwende (*Lohse:* Und in der Zeit) des Zornes, dreihundertundneunzig Jahre, nachdem er sie in die Hand Nebukadnezars, des Königs von Babel gegeben hatte (im Jahr 586 v. Chr.), hat er sich ihnen (wieder) zugewandt (*Lohse:* sie heimgesucht). Und er ließ aus Israel und aus Aaron (also aus dem königlich-davidischen und dem priesterlich-aaronitischen Haus) eine Wurzel der Pflanzung sprießen, damit sie in Besitz nehme(n) sein Land und fett wurde(n) durch den guten Ertrag (*Lohse:* die Güte) seines Bodens."[37]

Auf diesem Hintergrund gesehen, dürfte auch der Begriff „Neuer Bund", der aus der hebräischen Bibel in das Neue Testament aufgenommen wurde, ursprünglich als „Erneuerung des Bundes" verstanden worden sein.[38] Diese Interpretation des Begriffs ist von großer Bedeutung für das Gespräch zwischen Christen und Juden, und vor allem für die Einstellung des Christentums zum Judentum. Eine tiefergehende Untersuchung dieser Frage ist ein Desideratum, kann aber im Rahmen meiner Darlegungen nicht unternommen

---

[37] Die Damakusschrift (CD) I, 1–8, in: Die Texte aus Qumran. Hebräisch und Deutsch, hrsg. von *E. Lohse*, Darmstadt 1971, 67.

[38] Unter diesem Aspekt sollte z. B. der Text 8, 8–12 betrachtet und entsprechend interpretiert werden (vgl. 10,16). Dazu: *L. Goppelt*, Bund im N. T., in: RGG^3, Bd. I (1957), 1516–1518.

werden und sollte wohl rechtmäßig von christlichen Theologen geliefert werden.[39]

V

Die hier vorgelegten Gedanken über den Stellenwert und die Entwicklung der Idee des Gottesbundes in der hebräischen Bibel wollen eine weitere Illustration des altisraelitischen Geschichtsverständnisses bieten. Der Exkurs scheint mir insofern berechtigt, als der „Neue" oder „erneute Bund" in der Mitte der biblischen Zukunftserwartung steht und daher durchaus in eine Betrachtung dieser Erwartungen einbezogen werden sollte. Ausschlaggebend ist, daß der Blick auf den von Gott neugeordneten Zukunftsbund, explizit oder zumindest implizit, mit einem Rückgriff auf die Geschichte verklammert ist. In der Vergangenheit wurde der „ewige" Bestand des mit Israel, mit David, mit Noach und Adam geschlossenen Bundes durch die Verfehlungen der menschlichen Bündnispartner immer wieder in Frage gestellt. Im Gegensatz dazu sind in dem Bund der Zukunft dergleichen Mißerfolge konzeptuell ausgeschlossen.[40] In dem Rückgriff wird dem Bund mit Adam und Noach, und sicher dem mit den Vätern, ein „geschichtlicher" Wert zugesprochen. Die Schöpfung der Welt wird als ein „geschichtliches" Faktum angesehen. Aber der Knotenpunkt des von Gott etablierten Bundesverhältnisses sind der „Volksbund" und vor allem der „Davidbund". Die Zukunftsschau arbeitet mit Vorstellungen und Sprachwendungen, die ihren Haftpunkt in der schon erfahrenen politisch-gesellschaftlichen und rituell-gottesdienstlichen Situation des davidisch-salomonischen Königreiches haben. Dies läßt sich sehr deutlich an dem Erstteil der schon angeführten

[39] Eine wertvolle Unterlagensammlung zu den hier angeschnittenen und anderen Fragen, mit ausgewogenen erklärenden Bemerkungen bietet das Werk von F. *Mußner*, Traktat über die Juden, München 1979, das hiermit dem Leser empfohlen wird.

[40] Siehe dazu den in Anm. 29 erwähnten Artikel von H. *Weippert*.

Zukunftsvisionen des Jeremia nachweisen: „Siehe, Tage werden kommen, sagt Jahwe, in denen ich das gute Wort erfüllen werde, das ich über das Haus Israel und über das Haus Juda geredet habe: in jenen Tagen, in jener Zeit, werde ich David einen (ger)echten Sproß sprießen lassen, der Recht und Gerechtigkeit im Land üben wird. In jenen Tagen wird Juda gerettet werden und Jerusalem in Sicherheit bestehen... Denn so spricht Jahwe: Nie wird es an einem Herrscher (aus dem Hause) Davids fehlen, der auf dem Thron des Hauses Israel sitzt; nie wird es den Priestern und Leviten an einem fehlen, der vor mir Opfer opfert und Rauchopfer darbringt und Schlachtopfer zurichtet allezeit" (Jer 33,14–18).[41]

Der Hinweis auf die politische Sicherheit Israels und Judas ist eindeutig ein Rückbezug auf die zusammenfassende Beschreibung der salomonischen Epoche, die das Buch der Könige liefert und die auch von anderen Propheten aufgegriffen wurde: „(Ganz) Juda und Israel lebten in Sicherheit, ein jeder unter seinem Weinstock und unter seinem Feigenbaum von Dan bis Beer Sheba, in all den Tagen Salomos" (1 Kön 5,5; vgl. Lev 26,6; Joel 4,20; Mich 4,5). In jener Zeit wurde der Tempel in Jerusalem errichtet und wurden die Formen des Tempelgottesdienstes etabliert, auf die das Verheißungswort des Propheten Jeremia Bezug nimmt. In Kürze: Die real-historisch erfahrene Epoche Davids und Salomos wird als die „Urzeit" aufgefaßt, deren Bild in die Darstellung der erhofften und erwarteten zukünftigen Zeit projiziert wird. Daher kann die Zukunft nicht als absolut „neu" angesehen werden. Sie ist zwar grundsätzlich verschieden von der geschichtlichen Erfahrung, nämlich darin, daß sie einen erneuten Ansatz verspricht, der von den Fiasken der realen Vergangenheit frei bleiben wird. Aber auch die Situation nach der „Zeitenwende" wird innergeschichtlich erfaßt. Das Bild bleibt irdisch. Es ist verklärt, aber nicht völlig aus der erfaßbaren Wirklichkeit gerissen. Dem „erneuten Mensch" (dem erneuten Adam), „dem erneuten Volk" verspricht Gott, in der

---

[41] Es ist für unser Anliegen ohne Belang, ob dieser Ausspruch ursprünglich von Jeremia stammt oder ihm nur zugeschrieben wurde. – Das Stück Jer 33, 14–26 fehlt in der Septuagintaübersetzung.

„erneuten Welt" von neuem mit ihnen seinen Bund zu schließen, auf dem sich ein reines, ideal-sündenloses Leben des einzelnen und der Gemeinschaft aufbauen wird.

Das Hoffnungsbild bezieht sich vorzüglich auf „natürliche" oder „askriptive" Einheiten: Familie, Sippe, Volk. Die Familie bleibt der Grundstock der Gemeinschaft, wie in der real-historischen Welt. Das Verhältnis von Vätern und Söhnen besteht weiter, befreit von den Spannungen, denen es in der erfahrenen Geschichte unterlegen ist: „Siehe, ich werde entsenden für euch den Propheten Elija, bevor der Tag Jahwes kommt, der große und furchtbare, daß er das Herz der Väter den Söhnen zuwende und das Herz der Söhne ihren Vätern. . ." (Mal 3,23–24). Auch nach der Zeitenwende werden Völker und Nationen fortbestehen in staatlichen Gebilden. Ihre Beziehungen zueinander werden dann aber rechtlich geregelt und nicht durch Gewaltmaßnahmen und Krieg entschieden werden. Es wird auch auf „elektive" Gruppen von Gottgetreuen Bezug genommen. Ihnen wird Gott sein Wohlwollen zuwenden, wenn er die Frevler bestraft. Diese Gottgetreuen sind jetzt die Auserkorenen *in* Israel, Gottes Sondergut, nicht Ganz-Israel, das Gott am Sinai aus allen Völkern wählte und sich zu eigen machte (vgl. Mal 3,13–22, bes. V.17 mit Ex 19,5–6). Aber die „elektiven" Einheiten treten nur am Rand auf, in nachexilischen Partien der biblischen Literatur (5.–4. Jahrhundert v. Chr.). In diesen spiegelt sich der Beginn des Prozesses der internen Aufspaltung Israels in Glaubensströmungen, die einige Jahrhunderte später voll in Erscheinung treten wird.[42]

Wenig Aufmerksamkeit wird in der Ausmalung des Zukunftsbildes dem einzelnen zugewandt. Gedanken über „Erlösung", „Auferstehung" und „Leben nach dem Tod" spielen nur eine untergeordnete Rolle. Sie sind eigentlich nur in der spätesten Schicht der alttestamentlichen Literatur angedeutet, vor allen in dem Teil des Buches Daniel, der zu ihren letzten Bausteinen gerechnet wird (2.

---

[42] Dazu: *S. Talmon*, Exil und Rückkehr in der Ideenwelt des Alten Testaments, in: R. Mosis (Hrsg.), Exil – Diaspora – Rückkehr (Schriften der Katholischen Akademie in Bayern 81), Düsseldorf 1978, 31–56.

Jahrhundert v. Chr.). Auch dort sind diese Auffassungen nicht voll akzentuiert. Ein eindeutiger Hinweis findet sich nur in Dan 12,2: „In jener (zukünftigen) Zeit wird (von) dein(em) Volk gerettet werden jeder, der in dem (meinem) Buch eingeschrieben ist. Und viele von denen (oder: die Mächtigen), die im Staube der Erde schlafen, werden erwachen, diese zu ewigem Leben, und jene zu Schmach, zu ewiger Verderbnis" (vgl. Mal 3,16–21). Die vereinzelte Bemerkung hat nicht genügend Tragfähigkeit für die Annahme, daß das biblische Israel eine bestimmte Auffassung von einem „Leben nach dem Tode" entwickelte. Sie ist bestenfalls als ein Keim der Saat anzusehen, aus der in der nach- und außer-biblischen Geisteswelt die Lehre von der „Auferstehung" erwuchs.

Im Alten Testament herrscht die Ansicht vor, daß der Tod wahrlich ein Finale ist. Die Feinde des Psalmisten fragen: Wann wird er sterben und sein Name untergehen? (Ps 41,6), wobei „Name" wohl ein Ausdruck für „Kinder" ist. Ijob vergleicht den toten Menschen mit einer Blume, die blüht und welkt, oder mit einem gefällten Baum, der nie wieder Sprößlinge hervorbringen kann (Ijob 14,1–2. 7–9). Er fragt: „Wenn ein Mann stirbt, wird er (wieder) leben?" (V.14); „Wenn ein entkräfteter Mann stirbt, wenn ein Mensch (ver)scheidet, wo ist er dann?" (V.10). Der Verfasser begnügt sich nicht mit rhetorischen Fragen, sondern konstatiert ausdrücklich: „Ein Mensch, der sich (zum Sterben) hinlegt, aufersteht nicht, bis die Himmel vergehen" (das heißt: für ewig).[43] Die alte kirchliche Exegese (etwa Brentius: donec resurget) wollte diese Aussage im Hinblick auf den Auferstehungsglauben so verstehen: die Menschen werden nicht (eher) aufstehen, als bis Himmel (und Erde) vergehen, also am jüngsten Tag. Diese Interpretation wird von manchen Exegeten als richtig angenommen.[44] Aber die Fortsetzung des Verses: „man erwacht nicht (wieder), man wacht nicht auf von seinem Schlaf"[45] (vgl. Jes 43,17; Ps 88,11) zeigt, daß diese

---

[43] Vgl. Ps. 72, 7: „bis der Mond vergeht".
[44] G. Hölscher, Das Buch Hiob, HAT, Erste Reihe 17, Tübingen 1937, z. St.
[45] Es ist unzulässig, Streichungen von angeblichen Glossen vorzunehmen, um Probleme, die der Text bietet, aus dem Weg zu gehen.

Interpretation eine spezifisch christliche Nuance in den Text hineinträgt.

Die Endgültigkeit des Todes, der den Menschen von seinen Qualen auf Erden befreit, hat einen zentralen Stellenwert in der Weltanschauung des Verfassers des Ijobbuches und steht wie ein Motto ganz zu Beginn (Kap. 3). Der Gedanke hallt wider in den alttestamentlichen Weisheitsschriften allgemein und besonders in dem Pessimismus des Predigers: „alle Kreatur kommt von Staub und wird wieder Staub". „Wer weiß, ob der Menschen Seele (nach dem Tod) nach oben hinaufgeht, und ob die Seele des Viehs hinunter in die Erde geht" (Koh 3,20–21).[46] Die Antwort auf die Frage wird vorweggenommen: „Mensch und Vieh haben dasselbe Los, der Tod dieser ist wie der Tod jener" (V.19; vgl. 9,2–3); „Die Lebenden wissen, daß sie sterben werden, aber die Toten wissen nichts, sie haben keine Hoffnung mehr, ihr Andenken wird vergessen" (9,5); „denn in dem Totenreich, in das du gehst, gibt es keine Abrechnung, nicht Wissen und nicht Weisheit" (V.10; 10,14).

Ähnliche Gedanken spiegeln sich in Texten, die der Einstellung zum Tod Ausdruck geben: „Ein lebendiger Hund ist besser als ein toter Löwe" (Koh 9,4–5). Der biblische Mensch will den Tod verhindern oder aufschieben, indem er Gott zu überzeugen versucht, daß des Menschen Tod auch zu Gottes Nachteil gereicht. Denn, sagt der Sänger: In der Unterwelt kann man Gott nicht Dank geben, der Tote kann ihn nicht loben, Begrabene können nicht hoffen, seine Wahrheit zu erreichen (Jes 38,18); in der Finsternis der Erde weiß man nichts von Gottes Wundertaten, noch weiß man von den Bezeugungen seiner Gerechtigkeit und Hilfe im Lande des Vergessens. An Toten können keine Wunder gezeigt werden, die Bewohner der Unterwelt können Gott nicht preisen (Ps 88,11–13). In diesen Texten, zu denen man noch weitere hinzufügen könnte (vgl. Koh 5,14–15; 10,14), findet sich keine Andeutung einer

---

[46] Diese zweiflerische Aussage wird in 12, 7 revidiert: „Der Staub (Körper) kehrt zur Erde zurück, und der Geist (die Seele) kehrt zurück zu Gott, der ihn (sie) geschaffen hat." Es muß aber in Betracht gezogen werden, daß Kap. 12 als ein Anhang an die Spruchsammlung des Predigers angesehen wird.

Hoffnung auf ein „Leben nach dem Tod". Der Mensch wird nach seinem Tod „zu seinen Vätern eingesammelt": Abraham (Gen 25,8.17), Isaak (27,13; 31,2), Jakob (49,25), Aaron (Num 20,24.26), Mose (27,13; 31,12) u. a. Der Ausdruck zielt wohl auf das Begräbnis in einer Familiengruft (z. B. 2 Kön 22,30). Gute Menschen „liegen mit ihren Vätern (im Grab)": Jakob (Gen 47,30; 49,29), Mose (Dtn 31,16), David (2 Sam 7,12; 1 Kön 11,21), Salomo (11,43; 2 Chr 9,31) und so die Könige von Juda und Ephraim (1 Kön 14,20.31; 15,8.14; 16,6.18 u. a.). Das gleiche gilt für die Herrscher anderer Völker, außer denen, die von einer frevelhaften Hybris besessen (Jes 14,18) besonders grausam gegen Israel vorgingen (Ez 32,28–32).

Die Gedanken über den Tod gehen meistens nicht über den Umstand des Begrabenwerdens hinaus. In pessimistischer oder realistischer Resignation konstatieren biblische Autoren, daß der Mensch nach seinem Tod wieder Staub wird (Gen 3,19) und den Würmern verfällt (Ijob 7,5; 17,14; 21,16; 25,6; Jes 14,11). Es kristallisieren sich keine philosophisch-theologischen Spekulationen über das, was hinter der Schwelle des Todes liegt. Soweit sich dergleichen Gedanken in den Wendungen „zu den Vätern eingesammelt werden", „mit den Vätern ruhen" kundgeben, zielen sie auf das Weiterleben der Gemeinschaft – Familie, Sippe oder Volk – und nicht auf ein erhofftes Wiederauferstehen des einzelnen. Diese Wendungen bezeugen ein Solidaritätsbewußtsein, das eine Zukunftshoffnung ermöglicht, ohne sie aber zu präzisieren. Sie konzentriert sich auf „Nachkommen", die auf Erden die Lücken füllen werden, die durch das Verscheiden der Vorfahren entstanden sind. Der einzelne stirbt und wird zu nichts, die Gemeinschaft besteht weiterhin und hat daher eine Zukunft.

Der Mensch als Individuum ist ein-dimensional. Er kann zeitlich nicht über sein eigenes Leben hinausreichen. Das Kollektiv hat zwei zeitliche Dimensionen: es ist zugleich synchronisch und diachronisch.[47] Die Kollektivität stärkt ein Geschichtsbewußtsein, das sich

---

[47] Dazu: S. *Talmon*, Auf dem Wege zu einer weltumspannenden Gemeinschaft, in: F. v. Hammerstein (Hrsg.), Von Vorurteilen zum Verständnis – Dokumente zum jüdisch-christlichen Dialog, Frankfurt a. M. 1976, 43–55, bes. 46 ff.

aus der Gegenwart rückwärts in die Vergangenheit und vorwärts in die Zukunft erstreckt. Die biblische Grundforderung „erinnert euch, gedenkt" eurer Vergangenheit (Dtn 5,15; 8,2; 15,15 u. a.) und der großen Taten Gottes in der Geschichte (Dtn 8,18; Ex 13,3; Ps 143,5) wie Gott seines Bundes gedenkt (Gen 9,15; Lev 26,42.45; Ez 16,60), ist der Boden, aus dem die Losung erwächst „ihr dürft und sollt hoffen".

Im großen und ganzen teilt sich die erwartete zukünftige Epoche in zwei Etappen auf. Sie beginnt mit einer Phase der Abrechnung: Gott führt Krieg gegen die Völker, die an Israel gesündigt haben, und richtet die Frevler in Israel und der gesamten Menschheit. Das ist der *jōm jahweh* – „der Tag des Herrn", die Zeit des göttlichen Gerichts. Die Darstellung ankert in Erinnerungen an Gottes Taten in der erlebten Geschichte. Das kollektive Gedächtnis bewahrt das Gedenken an Krisenpunkte in der Vergangenheit, an denen Gott in das Geschehen eingriff, sich den Gerechten und den Unterdrückten zur Seite stellte und Krieg führte gegen die Unterdrücker, meistens dargestellt als Feinde Israels. Diese Stufe der Läuterung ist die Vorbedingung für den Anbruch des Heils, das sich danach für den gerechten Rest Israels und aller Völker eröffnen wird. Die erhoffte vollkommene Welt wird die geschichtlich-makelhafte ablösen, wie einstmals die geschichtliche Welt die vorsintflutliche, aus dem Gleis geratene Schöpfung ersetzt hatte.

Ich möchte die These vorlegen, daß auch dieses zweistufige Zukunftsbild als eine verklärte Spiegelung der historischen Erfahrung unter den Königen David und Salomo konzipiert ist: In dem Bild des zukünftigen kosmischen Kampfes lassen sich vielleicht Züge der kriegerischen Tage unter David erblicken, während in der Zeichnung der Ära des Heils die pax salomonica, die Friedenszeit in Salomos Tagen durchschillert. Es ist daher völlig verständlich, daß das Bild der Zukunft in seinen Grundzügen den gesellschaftlich-politischen Bedingungen entspricht, die in der Epoche des geeinigten Israels unter David und Salomo voll zum Ausdruck kamen.

Es würde zu weit führen, hier Texte zu zitieren, die beweisen, daß die biblischen Autoren, auch die Propheten, für die Beschreibung der nach der Zeitenwende liegenden Welt Konzeptionen, Begriffe und Wortbilder anwenden, die direkt aus der Geschichtsliteratur übernommen sind oder jene Vorbilder paraphrasieren. Die Propheten, die der aktuellen Geschichte meist negativ gegenüberstanden, Volk und König aufs schärfste kritisierten, bieten auch für die Zukunft keine anderen gesellschaftlich-politischen Strukturen: König und Volk bleiben die Basen, auf denen die erhoffte, erneute Welt sich gründen wird. Der zukünftige „Gesalbte" wird wiederum als König erschaut, als ein Nachfolger Davids, aus seinem Hause stammend.

Das von den Propheten erschaute Bild der Zukunft vertieft und weitet sich zu einem den gesamten Kosmos umfassenden Panorama. Unter dem Gott des Universums, der als Rechtsprecher in Jerusalem waltet (Jes 2,3–4; 51,4–5; Mich 4,2–3), wird die endgültige Aussöhnung in der Schöpfung erreicht: zwischen Kreatur und Kreatur und zwischen Kreatur und Mensch (Jes 11,6–8; 65,25); zwischen Mensch und Natur (Jes 65,17 ff; Ez 34,25 ff; Hos 2,23–25; Joel 4,18 u. a.), zwischen Mensch und Mensch und zwischen den Völkern (Jes 2,4–5; Mich 4,3).

VI

Das biblische Zukunftsbild wurzelt in aktuellen, geschichtlich schon erfahrenen Situationen. Auch das Utopische in ihm, das Noch-nicht-Gewesene, weist topische Haftpunkte auf. Der Schwerpunkt liegt im Irdischen. Die überirdische und übergeschichtliche Dimension ist zwar präsent, aber nur im Keim angedeutet. Diese Aspekte der Überhöhung werden in dem Zukunftsbild der Apokalyptik, dann in der christlichen Ideenwelt und in der nachbiblisch-jüdischen Tradition dezidiert ausgebaut und nehmen eine entscheidende Bedeutung an. Man könnte sagen, daß in ihnen das geschichtsbezogene biblische Bild der Zukunft „eschatologisiert" wird.

Ich muß aus Fairneß betonen, daß die von mir gelieferte Interpretation der biblischen Grundhaltung der Zukunft und die Darstellung des aus ihr und auf sie folgenden Entwicklungsprozesses nicht als die einzig mögliche Auffassung unserer Quellen verstanden sein will, und sicher nicht als jüdisch-verbindlich. Ich kann nur mein eigenes Verstehen der Texte und der Ideen, die sich in ihnen mir kundgeben, vortragen. Diese Interpretation stellt keinen Anspruch, als objektiv oder normativ-jüdisch zu gelten. Ich glaube aber sagen zu dürfen, daß in ihr der Versuch gemacht wird, dem Sachbefund gerecht zu werden.

Von ausschlaggebender Bedeutung in dem biblischen Bild der Zukunft wie in der Einstellung zur Geschichte ist die Verantwortung des Menschen. Es obliegt einem jeden, die ideale zukünftige Zeit durch ein gottgefälliges Verhalten in der Gemeinschaft, in der Geschichte greifbar zu machen. Hierin kommt ein erzieherisches und selbsterzieherisches Prinzip zur Geltung, das nichts von seiner Aktualität verloren hat. Der Mensch ist aufgefordert, an sich und seiner Gesellschaft zu arbeiten, sich selbst und seine Zeitgenossen zu einer Haltung zu erziehen, die zur Aufnahme der Idealkonzeption befähigt und ihre Realisierung in einer nicht präzis bestimmbaren Zukunft in Aussicht stellt. Die notwendigerweise graduelle Entwicklung auf den entscheidenden Zeitpunkt hin bewirkt, daß der Prozeß, der zu ihm führt, nicht als ein revolutionärer Weltumsturz, sondern als eine evolutionäre Weltumbildung erschaut wird. Man baut weniger auf einen einmaligen Eingriff Gottes in das Geschehen, der eine übergeschichtliche Epoche eröffnen wird, als auf ein gottgefördertes menschliches Tun, das zu einem besseren Leben in der Geschichte führen kann. Zu diesem Zweck muß der Mensch zutiefst aufgeschürft werden, damit er mit klarem Blick die Verderbtheit und das Unbefriedigende in sich und seiner Gemeinschaft erkennen kann, um dann Wege und Mittel zu ihrer Heilung zu identifizieren. Diese ergeben sich aus im Glauben fundierten und in der Weisung (Torah) festgesetzten Normen, in Verbindung mit aus der Vergangenheit gewonnenen Erfahrungen. Die Realisierung der utopisch-idealen Zukunftserwartungen kann gefördert werden durch den Kontakt mit geschichtlichen Vorbildern und die Mobilisierung der positiven Werte, die in ihnen identifiziert werden können.

Der Akzent, den die biblischen Grundschriften auf die Verantwortung des Menschen für die – wenn auch nur teilhafte – Vergegenwärtigung der idealen Zukunftshoffnung „heute und hier" legen, hat die biblische und nachbiblische jüdische Geschichte entscheidend geformt. Immer wieder sahen sich Menschen gefordert, die neue Ära durch einen tatkräftigen Einsatz zu erringen. Der Mensch sieht sich als Mitwirker Gottes in der Erschaffung einer neuen, besseren Welt aufgrund der biblischen Lehren und prophetischen Offenbarungen.[48]

---

[48] Dazu: *M. Buber*, Pfade in Utopia, Heidelberg 1950.

Rudolf Schnackenburg

Das Neue und Besondere christlicher Eschatologie

Die Sinnfrage menschlicher Existenz und die Existenzprobleme der Gegenwart, die alle Völker, reiche Industrienationen wie Entwicklungsländer, gemeinsam betreffen, aber auch jeden einzelnen umklammern, weil er unlöslich in das Geschick der Menschheit einbezogen ist, lassen die Frage nach der Zukunft nicht zur Ruhe kommen. Das, was wir Eschatologie nennen, Anschauungen, Lehren, Erwartungen, die *ta Eschata,* die „letzten Dinge" betreffen, hat zwei Komponenten, das Schicksal des einzelnen und das der ganzen Menschheit, ja der ganzen Welt. Beides müssen wir im Auge behalten, wenn wir von jüdischer und christlicher Eschatologie oder auch von säkularen Heilshoffnungen sprechen. Ich möchte aber gemäß dem Vorwiegen der allgemeinen Eschatologie, also der Erwartung für die Zukunft der Menschheit und des Kosmos, im gesamten biblischen Bereich, im Alten wie im Neuen Testament, darauf in diesem Beitrag den Nachruck legen. Die Aufgabe, die mir im Rahmen dieses Buches zufällt, ist ein Vergleich der biblisch-jüdischen mit der christlichen Eschatologie, wie sie im Urchristentum hervortritt. Die Formulierung meines Beitrages „Das Neue und Besondere christlicher Eschatologie" kann den Eindruck erwecken, daß er auf eine Konfrontation jüdischen und christlichen Glaubens hinausläuft. Nun soll gewiß im Rahmen des jüdisch-christlichen Gesprächs über theologische Grundfragen auch das Eigentümliche christlichen Zukunftsglaubens im Vergleich zum jüdischen zur Sprache kommen und nicht verschwiegen werden, was uns in unserer Grundauffassung scheidet. Aber die dabei herauszustellenden Unterschiede, die letztlich im christlichen

Bekenntnis zu Jesus Christus ihren Grund haben, relativieren sich, wenn wir an die gemeinsame Front gegen den modernen Säkularismus und Atheismus denken. Deswegen will ich in einem ersten Teil davon ausgehen, was Jesus von Nazaret nach allem, was wir aus den Evangelien erheben können, mit der religiösen Hoffnung seines Volkes verbindet, ja geradezu die Voraussetzung für seine Botschaft ist, die er den Menschen seiner Zeit verkündet. Dann möchte ich in einem zweiten Teil aufzeigen, worin er meines Erachtens über die geläufigen Vorstellungen seiner jüdischen Zeitgenossen hinausgegangen ist und worin das Besondere seiner eschatologischen Botschaft besteht. In einem dritten Teil geht es mir um die Aus- und Umbildung, die Transformation der Jesusbotschaft durch den Glauben seiner Anhänger an seine Auferstehung und die entsprechende Verfestigung und Präzisierung des christlichen Zukunftsglaubens. Dabei will ich auch die unterschiedlichen eschatologischen Blickweisen in der zeitlichen Erwartung und in den theologischen Akzenten, die trotz einer im ganzen einheitlichen, auf Jesus Christus konzentrierten Hofffnung zu beobachten sind, nicht außer Betracht lassen.

1. Die Wurzeln christlicher Eschatologie im Judentum; Voraussetzungen der Botschaft Jesu

a) Als erstes ist der *Gottesgedanke* des Alten Testaments zu nennen, ohne den sich eine Heilshoffnung gar nicht erheben konnte. In der wechselvollen, oft bitter-leidvollen Geschichte des Volkes Israel hält sich das Vertrauen zu seinem Gott durch, der es einst durch Mose aus dem Sklavenhaus von Ägypten herausführte und ihm das Land zum Besitz gab, das er den Vätern versprochen hatte. Auf dieses Urdatum der Errettung durch Gott, der Gewährung des Heils durch seine Gnade und Treue stützen sich alle späteren Generationen, die durch den Mund der Propheten daran erinnert und nun ihrerseits zur Treue gegenüber dem Bundesgott gemahnt werden. Wenn das Volk und seine Führer durch Götzendienst und Unrechttun der eingegangenen Bundesverpflichtung untreu wurden, traten die Sprecher Gottes mit schweren Anklagen und Unheilsprophetien hervor, gaben aber nie den Ausblick auf neues Erbarmen und Rettung durch Gott preis. In der schwersten Zeit des babylonischen Exils war es jener Prophet aus der Schule des Jesaja, den wir Deuterojesaja nennen, der mit bewegenden Worten einen zweiten Exodus, eine neue Befreiung ankündigte. „Heraus aus Babel, flieht aus Kaldäa! Verkündet es jauchzend, damit man es hört! Ruft es hinaus bis ans Ende der Erde! Ruft: Der Herr hat seinen Knecht Jakob befreit. Sie litten keinen Durst, als er sie durch die Wüste führte. Wasser ließ er für sie aus dem Felsen sprudeln. Er spaltete den Felsen, und es strömte Wasser" (Jes 48,20 f). „Zion sagt: Der Herr hat mich verlassen, Gott hat mich vergessen. Kann denn eine Frau ihr Kind vergessen, eine Mutter ihren eigenen Sohn? Und selbst, wenn sie ihr Kind vergessen würde: Ich vergesse dich nicht" (49,14 f). Hier findet sich auch die Prophetie, die für die Verkündigung Jesu eine entscheidende Bedeutung hat, ja an die er unmittelbar anzuknüpfen scheint: „Wie ist der Freudenbote willkommen, der durch das Bergland eilt, der den Frieden ankündigt, der gute Nachricht bringt und die Rettung verheißt, der zu Zion sagt: Dein Gott ist König" (52,7). Diesen Gott der Treue und des Erbarmens, der wieder neu seine Königsherrschaft über Israel aufrichtet, verkündigt Jesus in seinem Evangelium, in dem er die endgültige Herrschaft Gottes ausruft: „Erfüllt ist die Zeit, nahegekommen die Herrschaft Gottes" (Mk 1,15).

Oder nehmen wir die Worte des Propheten Jeremia, ebenfalls an die Verbannten in Babel gerichtet: „Denn ich kenne meine Pläne, die ich für euch habe – Wort des Herrn –, Pläne des Heils und nicht des Unheils. Denn ich will euch Zukunft und Hoffnung geben" (29,11). Es ist der Gott des Heils, wie er auch in den Psalmen, im persönlichen Gebet, oft angerufen wird, der dem ganzen Volk eine lichte Zukunft schenken wird. Gott ist die Hoffnung Israels

(Jer 17,13), weil er ein barmherziger und gnädiger Gott ist. Mich 7,18: „Wo ist ein Gott wie du, der du Schuld verzeihst und dem Rest deines Erbvolkes das Unrecht vergibst? Gott hält nicht für immer fest an seinem Zorn; denn er liebt es, gnädig zu sein." Ohne den Glauben an diesen Gott wäre Jesu Botschaft nicht möglich gewesen. Daran hat er angeknüpft und mit innerer Gewißheit verkündet, daß Gott jetzt seinen grenzenlosen, unbedingten Heilswillen wahrmachen, seine endgültige (eschatologische) Segensherrschaft errichten will.

b) Mit diesem Gottesgedanken hängt ein zweites zusammen: das *Geschichtsverständnis,* das in Israel trotz sich wandelnder Erfahrungen und daraus erwachsender neuer Entwürfe eine Grundrichtung und Grundstruktur hat, die unverkennbar ist und auch der Predigt Jesu zugrundeliegt. Man muß sich einmal die tiefgreifenden Unterschiede im Geschichtsdenken der damaligen Völker klarmachen. Der Hellenismus, besonders die Stoa, vertrat die Lehre von der Wiederkehr aller Dinge. So sagt schon der griechische Naturphilosoph Heraklit von Ephesus: „Diese Weltordnung schuf weder einer der Götter noch der Menschen, sondern sie war immer und ist und wird sein ewig lebendiges Feuer, erglühend nach Maßen und erlöschend nach Maßen" (Frgm. 30). Es gibt also ein periodisches „Erglühen" und „Erlöschen". Nach der stoischen Ansicht wird das Ende einer Weltperiode durch die Ekpyrosis, die Verbrennung, angezeigt, die jeweils die Voraussetzung für eine Wiederherstellung aller Dinge ist. Es ist ein zyklisches Verständnis des Weltgeschehens wie in einem großen Kreislauf, das auch mit der Vorstellung von Gott als der Weltseele oder Weltvernunft zusammenhängt. Anders das hebräische Denken, das vom „Anfang" der Schöpfung durch Gott ein voranschreitendes Geschehen, eine von Gott her zielstrebig verlaufende Geschichte vor sich sieht. Gewiß gab es ein zielgerichtetes Geschichtsdenken auch im Iran, doch wieder anders, stärker von den antagonierenden Kräften des Guten und Bösen bestimmt, und in die jüdische Apokalyptik sind ähnliche Züge eingedrungen.[1]

Ohne darauf eingehen zu können, ist soviel klar, daß Jesus in der Linie des alttestamentlich-jüdischen Geschichtsdenkens steht, das einen voranschreitenden Geschichtsverlauf und, wenigstens in der Apokalyptik, ein Ende der Geschichte mit Gericht und Vollendung durch Gott annimmt. Man kann die sich entfaltende eschatologische Hoffnung an manchen Einzelzügen studieren, so an der Erwartung des „Tages des Herrn". Diese Redeweise reicht weit in das Alte Testament zurück und bezeichnete ursprünglich nicht das Ende der Geschichte, sondern ein innergeschichtliches Eingreifen Gottes zu Gericht und Heil. In der Apokalyptik seit Daniel ist häufig vom „Ende der Zeit" oder von den „letzten Tagen" die Rede.[2] In dieser geistigen Bewegung scheint ein Umbruch des Geschichtsdenkens stattgefunden zu haben. Nach allen dunklen Erfahrungen in dieser Welt erwartete man ein letztes, endgültiges Eingreifen Gottes, ein wirkliches Ende dieses „bösen Äons" und die künftige vollendete Welt Gottes. Wie immer sich solche Gedanken erhoben und entfalteten, hier kommt es uns nur darauf an, die auf das Ende und die Vollendung gerichtete Blickweise zu erkennen, die für Jesus eine Grundvoraussetzung seiner Verkündigung ist. Es

[1] Die jüdische Apokalyptik, die seit Daniel in der ersten Hälfte des 2. vorchristlichen Jahrhunderts aufgekommen ist, wird nach den außerbiblischen literarischen Zeugnissen (Henochliteratur, Apokalypsen des Baruch, Abraham, Esra usw.) in der Forschung lebhaft diskutiert und unterschiedlich beurteilt. Vgl. u. a. *J. M. Schmidt*, Die jüdische Apokalyptik. Geschichte ihrer Erforschung, Neukirchen 1969; *P. v. der Osten-Sacken*, Die Apokalyptik in ihrem Verhältnis zu Prophetie und Weisheit, München 1969; *K. Koch*, Ratlos vor der Apokalyptik, Gütersloh 1970; *K. Müller*, Art. Die Jüdische Apokalyptik, in: Theol. Realenzyklopädie III, Berlin-New York 1979, 202–251 (ausführlich, mit Bibliographie). – Im Unterschied zu Prof. Talmon, der sich auf die Eschatologie im biblischen Judentum beschränkt, muß für Jesus und das Neue Testament die „zwischentestamentliche" Periode mit in Betracht gezogen werden, da zur Zeit Jesu auch die „apokalyptische" Strömung im Judentum von Einfluß war.

[2] Damit ist nicht gesagt, daß die Geschichte ein absolutes Ende finden müßte. In der nationalen Hoffnung Israels bleibt der Blick auf die irdische Geschichte und eine künftige, auf Erden erfahrbare Heilszeit gerichtet. Erst in apokalyptischen Werken, auch im Rabbinismus, erwartet man die „kommende Welt" in einem transzendenten Sinn, nach Auferstehung und Gericht, doch wieder mit unterschiedlichen Anschauungen, zum Teil auf der Erde, zum Teil im Himmel. Vgl. den Exkurs bei *P. Billerbeck*, Kommentar zum Neuen Testament aus Talmud und Midrasch IV/2, München 1928, 799–976, besonders 799–821. Zum „Ende der Tage" vgl. *G. Delling*, im Theol. Wörterbuch zum NT VIII, Stuttgart 1969, 53 f.; *H. Seebaß* im Theol. Wörterbuch zum AT I, Stuttgart 1973, 227 f.; ferner *S. Talmon* in seinem Beitrag.

ist nicht zu bezweifeln, daß für ihn wie schon für Johannes den Täufer das bald kommende Gericht den Horizont bestimmte, nur daß bei ihm seine Heilsbotschaft von der hereinbrechenden Gottesherrschaft die Verkündigung wesentlich abwandelte.

c) So ist auch die zentrale Botschaft Jesu von der *königlichen Herrschaft Gottes* ohne die Grundlagen im Alten Testament und Judentum nicht zu verstehen. Allerdings kommt der Terminus selbst nur spärlich im zeitgenössischen Judentum vor; aber schon lange war der Gedanke, daß Gott königlich herrscht und seine Herrschaft einmal endgültig durchsetzen wird, im Volk lebendig. So war man im Kult überzeugt, daß der im Himmel inmitten seines Hofstaates thronende Schöpfer und Regierer des Alls derselbe ist, der seinen Thron im irdischen Heiligtum unter seinem Volk aufgeschlagen hat. In Psalm 145 heißt es: „Dein Königtum ist ein Reich für die Ewigkeit, deine Herrschaft dauert über alle Geschlechter hin" (V. 13). Aber nicht die immerwährende Weltregierung Gottes und seine gegenwärtige Herrschaft in Israel ist in der Botschaft Jesu gemeint, sondern die Herbeiführung des vollendeten Königtums Gottes. In der nachexilischen Zeit gewinnt diese Hoffnung immer stärkere Kraft. In alten jüdischen Gebeten finden sich Gebetswünsche, die dieses Königtum Gottes herbeisehnen, so im Qaddisch, einem Segensgebet zum Gottesdienst: „Er richte seine Königsherrschaft auf und lasse sprossen seine Erlösung und bringe hervor seinen Messias und erlöse sein Volk während eures Lebens und in euren Tagen und während des Lebens des ganzen Hauses Israel, in Eile und in naher Zeit!" Wieder anders prägt sich der Gedanke vom Königtum Gottes im Pharisäismus aus. Man war überzeugt, durch Gebotserfüllung und speziell durch die Zitierung des *Sch^emā* („Höre Israel") das Joch der Königsherrschaft Gottes auf sich zu nehmen. Im ganzen urteilen gute Kenner des Judentums, daß der Gedanke des eschatologischen Königtums keine führende Heilsvorstellung war, nicht vergleichbar mit der zentralen Bedeutung, die sie in der Verkündigung Jesu einnimmt. G. Dalman meint, daß dort, wo Jesus vom kommenden Reich spricht, die Rabbinen eher den Ausdruck „künftiger Äon" oder „künftige Welt" gebraucht hätten.[3] Auch sonst tritt in dieser Botschaft Jesu, von der noch zu sprechen ist, gerade das Neue und Besondere hervor, das er zu seiner Zeit im Volke Israel künden wollte. Dennoch wäre diese Verkündigung Jesu nicht möglich, wenn nicht der Horizont der eschatologischen Heilshoffnung, die Erwartung einer kommenden endgültigen Heilszeit im Judentum vorhanden gewesen wäre, wie immer sich diese Hoffnung näher ausformte und bei den einzelnen Gruppen differenzierte.

d) In einem Punkt steht Jesus sogar dem Glauben der Pharisäer im Unterschied zu dem der Sadduzäer besonders nahe: in der Erwartung der künftigen *Totenerweckung*. Das war ein Differenzpunkt zwischen diesen beiden führenden Gruppen im damaligen Judentum. Die Sadduzäer leugneten eine Auferstehung, weil sie darüber nichts in der für sie allein maßgeblichen Tora zu entdecken meinten. Nun überliefert das Neue Testament ein Streitgespräch Jesu mit den Sadduzäern über die künftige Totenerweckung (Mk 12,18–27 parr). Dieses Streitgespräch wird zwar von manchen Forschern in seiner Authentizität bezweifelt, kann aber doch mit guten Gründen auf Jesus selbst zurückgeführt werden.[4] Es gibt auch sonst in der alten Spruchüberlieferung Indizien dafür, daß Jesus diesen pharisäischen Glauben geteilt hat, so etwa das Logion: „Viele werden von Osten und Westen kommen und mit Abraham, Isaak und Jakob im Reiche Gottes zu Tisch liegen; ihr aber werdet hinausgeworfen werden" (vgl. Mt 8,11 f/Lk 13,28 f). In diesem eschatologischen Bild ist sicher die Auferstehung vorausgesetzt; darüber hinaus ist auch der Gedanke von der Völkerwallfahrt zum Zion aufgenommen, der sich schon in der Prophetie des Jesaja (2,2–4) und des Micha (4,1–4) findet und in der Folgezeit öfter und stärker hervortritt.

[3] G. *Dalman,* Die Worte Jesu I, Leipzig [2]1930, 110.
[4] Vgl. *J. Jeremias,* Neutestamentliche Theologie I, Gütersloh 1971, 180, Anm. 28; *R. Pesch,* Das Markusevangelium II, Freiburg-Basel-Wien 1977, 235; skeptischer wieder *P. Hoffmann,* Art.: Auferstehung (Neues Testament), in: Theol. Realenzyklopädie IV (1980) 450–467, näherhin 451 f.

Auch sonst läßt sich in nicht wenigen Worten Jesu beobachten, wie sehr er dem alttestamentlichen Erbe und den Anschauungen des zeitgenössischen Judentums für seine eschatologische Verkündigung verpflichtet ist. Sogar für die individuelle Eschatologie, das Schicksal des einzelnen nach seinem Tod, gibt es einige Spuren, die Jesu Nähe zu damaligen Anschauungen belegen. Denken wir an die Schilderung in der Beispielerzählung vom reichen Mann und dem armen Lazarus (Lk 16,19–31) oder das Wort an den Mitgekreuzigten: „Heute noch wirst du mit mir im Paradiese sein" (Lk 23,43). Jesus ist stärker in das religiöse Denken und die konkreten Anschauungen des Judentums eingebettet, als es zunächst den Anschein hat, auch wenn jeweils zu fragen ist, wie weit hier bildliche Einkleidung und konkrete Lehraussagen vorliegen. Jedenfalls müssen wir uns, wenn wir von dem Neuen und Besonderen seiner eschatologischen Botschaft sprechen, bewußt bleiben, daß sie ohne den jüdischen Hintergrund nicht verstehbar ist. Wenn dies durch die wenigen aufgezeigten Grundzüge klargestellt ist, können wir uns jetzt der Frage zuwenden, worin denn das Eigentümliche, das Neue und Besondere besteht, was Jesus verkündet hat und was schließlich zur Konstituierung seiner neuen christlichen Glaubensgemeinde geführt hat.

2. Das Neue und Besondere in der eschatologischen Botschaft und Predigt Jesu

a) Die anstehende und hereinbrechende Gottesherrschaft

Wenn wir davon ausgehen dürfen, daß Mk 1,15: „Die Zeit ist erfüllt und nahegekommen die Gottesherrschaft; kehrt um und glaubt an die Freudenbotschaft!" eine treffende Zusammenfassung der Verkündigung Jesu ist – dafür besteht unter den Exegeten ein breiter Konsens –, dann sind drei Momente in der ersten Zeile auffällig und beachtlich: die „erfüllte" Zeit, der Ausdruck „nahe herbeigekommen" und die Wahl des Ausdrucks „Gottesherrschaft" für das erwartete Heil. Vom letzten war schon die Rede; das Königtum Gottes war damals kein beherrschender Terminus für die Zukunft des Heils. Für die Wendung „nahe herbeigekommen ist die Gottesherrschaft" gibt es nach Joachim Jeremias keine Parallele in der damaligen Literatur.[5] Derselbe Forscher bringt noch eine ganze Liste von Verbverbindungen und anderen Wendungen im Zusammenhang mit der Gottesherrschaft, die nicht in der zeitgenössischen jüdischen Literatur nachweisbar sind. Wir stoßen also auf eine sprachliche Artikulation, die mit den Jesus eigenen Gedanken zusammenhängen muß. Die in „nahegekommen" eingeschlossene zeitliche Ansage wird durch die erste Feststellung „erfüllt ist die Zeit" unterstrichen. Es sind zwei Perfektformen, die einen bereits eingetretenen Zustand ausdrücken, aber nicht im Sinn einer bereits voll verwirklichten Eschatologie („realized eschatology"), da „nahe gekommen" eben doch nur eine Nähe, wenn auch eine dringlich anstehende Nähe, noch kein volles Eintreffen ausdrückt. In der Doppelaussage liegt vielmehr eine Spannung zwischen Schon-Erfüllung und Noch-nicht-Vollendung, und genau dies wird durch das übrige Material, das uns für die Basileia-Predigt Jesu zur Verfügung steht, bestätigt.

Im ganzen ist die Gottesherrschaft auch im Munde Jesu ein streng eschatologischer Begriff, Ausdruck für das erwartete endgültige Heil, wenn Gott allem Streit und Leid der Welt dadurch ein Ende setzen wird, daß er seine Segensherrschaft gnadenvoll, wirksam, ungetrübt, unzerstörbar aufrichtet. Dieses vollendete Reich ist noch nicht da, man muß, wie Jesus im Vaterunser lehrt, um sein Kommen beten. Mit Bildern, wie sie schon das Alte Testament für die Heilszeit verwendet, weckt Jesus in vielen Gleichnissen und anderen Worten die Sehnsucht danach. Es ist wie bei einem Fest, einem Gastmahl, es ist die Zeit der Ernte, des Fruchtertrags, des reichen Fischfangs. Es läßt sich einem entfalteten Baum mit weit

[5] A. a. O. (s. Anm. 4) 41.

ausgreifenden Ästen vergleichen oder einer völlig durchsäuerten Teigmasse. Man kann darin eingehen wie in einen Festsaal, ein Hochzeitshaus usw. Aber was heißt es, daß diese vollendete Gottesherrschaft nahe herbeigekommen ist? Ist es nur die prophetische Ansage eines dringlich erwarteten, in Kürze bevorstehenden Ereignisses? Ist Jesus nur ein eschatologischer Prophet, ein Künder des tröstlichen Endes einer bösen und leidvollen Welt, ist er gar ein apokalyptischer Schwärmer?

Wir müssen auch eine andere Reihe von Aussprüchen Jesu und zeichenhaften Handlungen in seinem Wirken ins Auge fassen, bei denen schon eine Gegenwart der Gottesherrschaft, ein spürbares Hereinbrechen, eine Anwesenheit ausgesagt oder vorausgesetzt ist. Am deutlichsten ist das auch kritisch nicht anfechtbare Wort: „Wenn ich mit dem Finger Gottes die Dämonen austreibe, dann ist die Gottesherrschaft auf euch gestoßen" (Lk 11,20/Mt 12,28). In seinen Dämonenbannungen vollzieht sich schon gegenwärtig der Einbruch der Gottesherrschaft in diese noch bestehende böse Welt. Ähnliches gilt für die Krankenheilungen, die im gleichen Horizont gesehen werden. Das, was die Propheten als beglückende Erscheinungen der künftigen Heilszeit schilderten, erfüllt sich schon jetzt, wenn auch nur in einzelnen Taten, die durch Jesus geschehen: „Blinde erlangen das Augenlicht, Lahme gehen, Aussätzige werden rein, Taube hören . . ." (Lk 7,22/Mt 11,5). Aber diese Heilungen sind nicht das Einzige, vielleicht nicht einmal das Wichtigste, das gegenwärtig geschieht. „Armen wird die Freudenbotschaft verkündigt" – auch dies ist eine tief in der Zukunftserwartung Israels verankerte Aussage. Für Jesus gehört dazu das Erbarmen mit den Sündern, die Annahme verachteter Menschen wie der Zöllner und Dirnen, die Jesus auch provokativ durch die Tischgemeinschaft mit Zöllnern demonstriert. So beginnen sich die Erwartungen für die künftige Heilszeit schon zu erfüllen, noch nicht voll, nicht allgemein, aber doch so, daß auch schon die Gegenwart im Zeichen der Gottesherrschaft steht. Ein altes vielsagendes Wort, das Jesus zu seinen Jüngern sagte, wird überliefert: „Selig die Augen, die sehen, was ihr seht; denn viele Propheten und Könige verlangten zu sehen, was ihr seht, und haben es nicht gesehen, und zu hören, was ihr hört, und haben es nicht gehört" (Lk 10,23 f/Mt 13,16 f).

Die Spannung zwischen der schon angebrochenen Heilszeit und der noch erwarteten Vollendung wird besonders in den Wachstumsgleichnissen greifbar. Die Gleichnisse vom Sämann, von der selbstwachsenden Saat, vom Senfkorn, die Markus in seinem Gleichniskapitel (Kap. 4) aus schon übernommener Tradition zusammenstellt, illustrieren den Kontrast zwischen Aussaat und Ernte. Mögen diese Gleichnisse gegen Zweifel und Einwendungen angesichts der Verkündigung Jesu von der schon spürbaren und wirksamen Gottesherrschaft erzählt sein oder positiv werbend, unmittelbar anredend die Botschaft Jesu verdeutlichen und an die Hörer appellieren, die verborgenen Kräfte der Gottesherrschaft wahrzunehmen und gläubig darauf zu reagieren, auf jeden Fall illustrieren sie den schon gesetzten Anfang und das noch ausstehende Ende, die aufgrund der gegenwärtigen Heilserfahrung sicher zu erwartende Vollendung. Das sind unüberhörbar neue Töne, die Jesus in seiner Heilspredigt anschlägt, neue Perspektiven, die sich aus seiner Botschaft von der Gottesherrschaft ergeben. Er weiß sich als Stimme, Vermittler, Werkzeug des jetzt, in dieser Stunde der Geschichte ganz auf Erbarmen, Heilung und Heil bedachten Gottes, zugleich als Rufer und Mahner, das Heilsangebot Gottes anzunehmen und sich entsprechend zu verhalten.

Man kann andere Texte hinzunehmen, aus denen das Bewußtsein Jesu spricht, daß eine neue Zeit angebrochen ist. Denken wir an die Bildworte vom neuen Stoff und neuen Wein: „Niemand näht ein Stück neuen Stoffes auf ein altes Kleid, sonst reißt der neue Flicken vom alten Kleid ab, und es entsteht ein größerer Riß. Auch füllt niemand neuen Wein in alte Schläuche, sonst zerreißt der Wein die Schläuche. Der Wein ist verloren, und die Schläuche sind unbrauchbar. Neuer Wein gehört in neue Schläuche" (Mk 2,21 f parr). Gewiß kennen wir nicht mehr den ursprünglichen Kontext; aber diese Bildworte vom Alten und Neuen gehören doch in den weiteren Horizont seiner Basileia-Predigt mit allem, was sich für Jesus daraus ergab. Deutlicher noch ist ein anderes altes, für den

Bildcharakter freilich unterschiedlich gedeutetes Wort, der soge-
nannte Stürmerspruch, der im Vergleich der Matthäus- mit der
Lukas-Fassung ursprünglich etwa so gelautet haben könnte: „Das
Gesetz und die Propheten reichen bis Johannes; von da an bricht
sich die Gottesherrschaft mit Gewalt Bahn (oder: wird sie
gewalttätig bedrängt), und Gewaltträger reißen sie an sich" (vgl.
Mt 11,12 f mit Lk 16,16).[6] Für Jesus stellt Johannes der Täufer eine
Art Grenzscheide zwischen der früheren Zeit und der jetzt
angebrochenen dar. Aber damit kommen wir zu einem zweiten
wichtigen Aspekt.

b) Der Vorrang des Heils vor dem Gericht in der Verkündigung
   Jesu

Der große Bußprediger Johannes, der vor Jesus am Jordan
aufgetreten war und alles Volk angesichts des nahe bevorstehenden
Gerichts zur Umkehr und zur Taufe im Jordan aufgerufen hatte, ist
nicht nur eine der eindrucksvollsten Gestalten im damaligen
Judentum, sondern auch von großer Bedeutung, um die Botschaft
Jesu voll zu erfassen. Über das Verhältnis der beiden Männer, die je
für sich eine große Bewegung auslösten, ist viel nachgedacht
worden, und wie sich dieses Verhältnis entwickelte, ist nicht mehr
genau aufzuklären. Unbestreitbar ist, daß Jesus zum Jordan kam
und sich von Johannes taufen ließ, und ebenso dürfte es kaum
zweifelhaft sein, daß einige der Jünger Jesu aus der Schule des
Täufers stammten. Aber dann hat Jesus doch eigene Wege
beschritten und ist mit einer eigenen Botschaft hervorgetreten. Der
Hauptunterschied liegt, wie die exegetische Forschung ziemlich
einmütig feststellt, in der eschatologischen Haltung und Verkündigung Jesu. Jürgen Becker, der ein kritisches und aufschlußreiches

---

[6] Vgl. R. Schnackenburg, Gottes Herrschaft und Reich, Freiburg-Basel-Wien ⁴1965, 88–90; P.
Hoffmann, Studien zur Theologie der Logienquelle, Münster i. W. 1972, 50–79; S. Schulz, Q.
Die Spruchquelle der Evangelisten, Zürich 1972, 261–267; A. Polag, Die Christologie der
Logienquelle, Neukirchen 1977, 48 und 79; ders., Fragmenta Q, Neukirchen 1979, 74; I. H.
Marshall, The Gospel of Luke, Exeter 1978, 628–630.

Werk zum Verhältnis Johannes des Täufers und Jesu von Nazaret geschrieben hat, kommt zu dem Ergebnis, „daß gerade ein Vergleich zwischen Johannes und Jesus zeigt, wie unter der Voraussetzung der prophetischen Naherwartung des Täufers und in deutlicher direkter Abgrenzung ihm gegenüber (...) Jesu präsentisch-eschatologisches Situationsbewußtsein sich als differentia specifica zum Täufer erweist, die sich von der Heilsaussage Jesu her ergibt, von der wiederum der Täufer nichts erkennen läßt".[7]

Die „Heilspräponderanz", wie es Becker nennt, wird bei Jesus im Unterschied zu dem strengen, asketischen Bußprediger schon durch seine Lebensweise und sein ganzes Auftreten sichtbar. Es gibt ein unverdächtiges Wort in der Spruchüberlieferung, das diesen Unterschied kraß beleuchtet: „Johannes der Täufer ist gekommen, er ißt kein Brot und trinkt keinen Wein, und ihr sagt: er ist besessen. Der Menschensohn ist gekommen, er ißt und trinkt, und ihr sagt: Seht da, ein Fresser und Säufer, ein Freund der Zöllner und Sünder!" (Lk 7,33 f/Mt 11,13 f). Jesus verkündigt und repräsentiert in seinem Verhalten die anbrechende Heilszeit, während Johannes vor dem kommenden Gericht warnt. Nun soll in keiner Weise bestritten werden, daß sich auch bei Jesus Gerichtsdrohungen finden, zum Teil in äußerster Schärfe, wenn es um den Anspruch an den einzelnen geht, sich jetzt für Gott und sein Heilsangebot zu entscheiden. „Wenn dich deine Hand zum Abfall verführt, haue sie ab! Besser, du gelangst verstümmelt ins Leben hinein, als daß du mit zwei Händen in die Hölle gehst. Und wenn dein Fuß dich zum Abfall verführt, haue ihn ab! Besser, du gelangst als Lahmer ins Leben hinein, als daß du mit zwei Füßen in die Hölle geworfen wirst. Und wenn dich dein Auge zum Abfall verführt, reiß es heraus! Besser, du gehst einäugig in die Gottesherrschaft, als daß du mit zwei Augen in die Hölle geworfen wirst" (Mk 9,43–47). Beachten wir auch hier das Auftauchen der „Gottesherrschaft",

[7] *J. Becker,* Johannes der Täufer und Jesus von Nazareth, Neukirchen 1972, 84 f.

synonym mit „Leben". Und doch besteht bezüglich des Gerichts-
motivs ein fundamentaler Unterschied zwischen Johannes und
Jesus. Jesus verkündet mit der jetzt einbrechenden Gottesherrschaft
zuerst und vor allem Gottes Erbarmen. Noch einmal sei J. Becker
zitiert: „Das Gericht droht nach wie vor, aber Jesus setzt im
Unterschied zum Täufer sozusagen eine ‚Vorgabe' göttlicher Güte
ein. . . Eigentlich ist das opus proprium des Gottes Jesu die Güte
und Liebe und das Richten nur das opus alienum."[8]
Das barmherzige Verzeihen Gottes, die Annahme des Sünders aus
reiner Gnade und Güte tritt in der Basileia-Verkündigung Jesu
beherrschend hervor. Denken wir an die Gleichnisse vom verlorenen Schaf und der verlorenen Drachme (Lk 15,3–10). Gott hat seine
Freude daran, dem umkehrenden Sünder zu verzeihen. Im ange-
schlossenen Gleichnis vom verlorenen Sohn geht der Hausvater
dem Heimkehrenden entgegen, schließt ihn in seine Arme, setzt ihn
in die vollen Sohnesrechte ein und veranstaltet ein Freudenmahl,
spontan und ohne Bedingungen. Das ist Veranschaulichung der von
Jesus verkündigten Heilsbotschaft: So handelt Gott jetzt, in einer
Heilsinitiative, die vom Menschen nichts anderes fordert als
gläubige, dankbar-demütige Annahme des göttlichen Heilsangebo-
tes. Oder denken wir an das Gleichnis vom unbarmherzigen Knecht
(Mt 18,23–35), in dem erzählt wird, wie ein König einem seiner
Diener eine Riesenschuld erläßt, freilich auch erwartet, daß der so
Begnadigte zu einem ähnlichen Verhalten gegenüber seinen Mit-
menschen bereit ist. Matthäus charakterisiert diese Erzählung als
Basileia-Gleichnis. Der König, der seinem Minister großmütig den
Millionenbetrag nachläßt, symbolisiert Gott, der im Erbarmen und
Verzeihen sein Königtum verwirklicht. Wenn die königliche
Herrschaft Gottes der alles bestimmende Horizont der Verkündi-
gung Jesu ist, dann gewinnt auch das Wort aus der Bergpredigt:
„Seid barmherzig, wie euer Vater barmherzig ist!" (Lk 6,36) einen
besonderen Klang. Im Kontext der Bergpredigt, wo dieses Wort
steht, ist es nicht nur der Gipfel der radikalen Forderungen Jesu,

[8] Ebd. 97.

64

nämlich der Feindesliebe, sondern auch höchster Ausdruck der von ihm verkündigten Gottesherrschaft. Jetzt, in dieser Zeit, da Jesus die Gottesherrschaft proklamiert, erweist sich Gott als der Barmherzige und fordert darum auch Barmherzigkeit vom Menschen. Es ist nicht nur ein Blick auf Gottes barmherziges Wesen, das durch einige Beispiele aus der Natur illustriert wird, eine zeitlos-gültige Aussage, sondern ein Aufblick zu dem Gott, der geschichtsmächtig jetzt und endgültig seine Barmherzigkeit in die Tat umsetzt. Helmut Merklein schreibt dazu: „Weil Gott jetzt endgültig und radikal zum eschatologischen Heil des Menschen entschlossen ist, erweist er sich als Gott von solcher Güte und Barmherzigkeit, daß er sich, ohne Bedingungen zu stellen, radikal dem Menschen (Sünder) zuwendet. Gerade deswegen muß und kann derjenige, der sich der eschatologischen Barmherzigkeit Gottes öffnet, nun selber radikal barmherzig sein bis hin zur Liebe gegen den Feind."[9] Es gibt in der jüdischen Theologie und Ethik großartige Aussagen über Gottes Güte, Barmherzigkeit und Langmut, auch über das, was daraus für das menschliche Verhalten folgt, bis hin zum paradoxen Motiv der Imitatio Dei (der Nachahmung Gottes). Aber man muß sehen, daß bei Jesus der Gottesgedanke wie die Ethik umfangen sind von der Proklamation der jetzt hereinbrechenden Gottesherrschaft, die ein grenzenloses Erbarmen Gottes aufrichtet, dem Menschen eine neue Lebensmöglichkeit schafft, aber auch ein neues Ethos abverlangt. Noch einmal Merklein: „Die radikale Güte Gottes, die Jesus verkündet, ist die Güte des eschatologisch handelnden Gottes."[10]

c) Gewandelte eschatologische Vorstellungen

Noch einen letzten Aspekt möchte ich herausstellen, der als etwas Eigenes und Besonderes in der Verkündigung Jesu zu beobachten

---

[9] *H. Merklein,* Die Gottesherrschaft als Handlungsprinzip. Untersuchung zur Ethik Jesu, Würzburg 1978, 236.
[10] Ebd. 206.

ist. Seine Aussagen über das vollendete Gottesreich bewegen sich zwar in Bildern, wie sie auch die Propheten verwenden, und doch zeigen sie eine auffällige Zurückhaltung in Fragen, die im Judentum oder in einzelnen seiner Gruppen nicht selten gestellt wurden. Daraufhin angesprochen, wann das Reich Gottes komme, antwortet Jesus nach Lk 17,20 f: „Die Gottesherrschaft kommt nicht unter Beobachtung. Auch wird man nicht sagen: Seht, hier ist sie oder dort. Denn seht, die Gottesherrschaft ist mitten unter euch." Gefragt, ob es nur wenige sind, die gerettet werden, richtet Jesus vielmehr einen Appell an die Hörer: „Bemüht euch mit allen Kräften, durch die enge Tür hineinzugelangen" (Lk 13,23 f). Den Zebedäussöhnen, die, in falschen Vorstellungen befangen, ihren Meister um die Plätze zu seiner Rechten und Linken bitten, wenn er in seiner Herrlichkeit kommt, gibt er die Auskunft: „Ihr wißt nicht, worum ihr bittet . . . Die Plätze zu meiner Rechten und Linken zu vergeben, ist nicht meine Sache, sondern sie kommen denen zu, denen es bereitet ist" (Mk 10,37.40). Es ist eine umschreibende Ausdrucksweise für die Gott vorbehaltene Verfügung über das eschatologische Geschehen. So sehr Jesus seiner Ansage der kommenden und bereits hereinbrechenden Gottesherrschaft gewiß war, ebenso zurückhaltend ist er in allem, was die künftigen Ereignisse und Zustände betrifft. Das gilt auch für den Zeitpunkt des erwarteten Endes. Nicht zweifelhaft ist seine Naherwartung; seine drängende Sprache, die Krisisgleichnisse, die den Hörern den Ernst der Stunde vor Augen stellen und ihnen unverzüglich eine Entscheidung abverlangen, und manche Einzelworte lassen sich nicht anders verstehen. Aber über den näheren Zeitpunkt hat sich Jesus nicht geäußert; Tag und Stunde weiß niemand außer dem Vater.[11] In dieser Gebundenheit an den Vater liegt der Schlüssel zu

---

[11] Mk 13,32/Mt 24,36. Der Wortlaut erweckt Zweifel, ob Jesus so formuliert hat; aber die Aussage entspricht seiner Haltung, vgl. R. Pesch, Das Markusevangelium II, 309–311. Die Worte mit einer Terminangabe (Mk 9,1 parr; 13,30 parr; Mt 10,23) lassen sich als sekundäre Bildungen ansehen; vgl. L. Oberlinner, Die Stellung der „Terminworte" in der eschatologischen Verkündigung des Neuen Testaments, in: P. Fiedler/D. Zeller (Hrsg.), Gegenwart und kommendes Reich (Schülergabe für A. Vögtle), Stuttgart 1975, 51–65.

seiner Botschaft, in seinem Gottesverhältnis und Gottesverständnis auch der Grund seiner Zurückhaltung. Die Eschata sind Gott und seiner Entscheidung vorbehalten; das, was die Zukunft Gottes bringen wird, ist menschlichem Wissen und menschlicher Vorstellung entzogen.

Fassen wir auch nochmals die Auferstehungsfrage in den Blick, die uns schon im Zusammenhang mit den jüdischen Voraussetzungen seiner Eschatologie beschäftigt hat. Die Sadduzäer, die eine künftige Auferstehung leugneten, legen Jesus einen besonderen Fall vor: Sieben Brüder, die nacheinander sterben, haben gemäß dem Gebot der Leviratsehe die gleiche Frau zur Ehe genommen: Wem wird sie dann bei der Auferstehung der Toten gehören? Jesus antwortet ihnen: „Ihr kennt weder die Schriften noch die Macht Gottes. Wenn sie von den Toten auferstehen, heiraten sie nicht und werden nicht geheiratet; vielmehr werden sie wie Engel im Himmel sein." Dann legt er ihnen noch einen Schriftbeweis vor, der in der Aussage gipfelt: Gott ist nicht ein Gott der Toten, sondern der Lebenden (Mk 12,18–27). Das Judentum stellte sich damals die künftige Auferstehung stark nach irdischen Analogien vor. Jesu Antwort schiebt irdische Erwartungen und Ausmalungen beiseite und verweist auf den Gott vorbehaltenen, wir würden sagen: transzendenten Bereich, der sich menschlicher Einsicht verschließt. Aber Jesus glaubt an die Macht Gottes, der seine Verheißungen erfüllt und jenseits menschlicher Vorstellungen eine neue und vollendete Welt heraufführen wird.

Damit wollen wir die Botschaft Jesu verlassen und uns der Eschatologie des Urchristentums zuwenden, die einerseits auf der Verkündigung Jesu aufbaut, anderseits im Glauben an die Auferstehung des gekreuzigten Jesus in neue Horizonte aufbricht und zu noch deutlicheren Aussagen gelangt.

3. Die urchristliche Eschatologie

a) Der neue Ansatz der eschatologischen Hoffnung in der Auferstehung Jesu

Die für die nächste Zukunft entworfene Botschaft Jesu vom Kommen der Königsherrschaft Gottes mußte bei den damaligen Hörern, auch den engeren Jüngern Jesu, zu einer Krise, ja Erschütterung ihres Glaubens führen, als Jesus selbst von den jüdischen Autoritäten angeklagt, dem römischen Gericht übergeben und am Kreuz als politischer Rebell hingerichtet wurde. Von dieser Erschütterung, die nicht nur den Tod dieses Unschuldigen und Gerechten, sondern auch die ausgebliebene Erfüllung seiner Verheißung betraf, geben die Evangelien noch Zeugnis. Die Worte der Emmausjünger, obwohl in der vorliegenden Gestalt von Lukas formuliert, drücken sicherlich eine allgemeine Stimmung im Kreis der Anhänger Jesu aus: „Er war ein Prophet und hat vor Gott und allem Volk Großes getan und gesagt. Doch unsere Hohenpriester und Führer haben ihn zum Tod verurteilt und ans Kreuz schlagen lassen. Wir aber hofften, daß er es sei, der Israel retten werde" (Lk 24,19 ff). Jesus selbst, der bei der wachsenden Gegnerschaft in den führenden Kreisen seines Volkes sein Todesgeschick auf sich zukommen sah, ist trotz der veränderten Perspektive, die sich daraus ergab, an seiner Sendung und Botschaft nicht irre geworden. Dafür spricht das Wort, das er beim letzten Abendmahl zu seinen Jüngern sagte: „Ich werde nicht mehr von der Frucht des Weinstocks trinken bis zu dem Tag, an dem ich von neuem davon trinken werde im Reich Gottes" (Mk 24,25 parr). Bedeutsam an diesem Ausspruch, der eine verhüllte Todesprophetie enthält, ist der Ausblick auf das kommende Reich Gottes, wie öfter unter dem Bild eines Mahles, ein Ausblick, der eine Brücke zu der bisher von Jesus verkündigten Botschaft darstellt und seine Gewißheit bezeugt, daß sie sich trotz seines Todes und über seinen Tod hinaus erfüllen wird.[12]

Für seine Jünger trat eine entscheidende Wende ein, als sie durch bestimmte, von uns nicht kontrollierbare, aber fest überlieferte Erfahrungen, die sogenannten Erscheinungen oder Begegnungen mit ihrem Herrn nach seinem Tod, zu der Überzeugung gelangten, daß der Gekreuzigte auferstanden ist. Wir können hier nicht auf die ganze, vieldiskutierte Problematik der Auferstehung Jesu eingehen[13] und brauchen es auch nicht; denn es kommt uns nur darauf an, die dadurch neu entzündete Hoffnung, die in einem neuen Hoffnungshorizont angesiedelte urchristliche Eschatologie zu erkennen. Nur auf einen wichtigen Aspekt des urchristlichen Bekenntnisses, daß Christus gestorben und am dritten Tag auferweckt wurde (vgl. 1 Kor 15,3 f), sei hingewiesen. Wenn es zu dieser Artikulation der Ostererfahrung kam, dann rückte die Auferstehung Jesu von vornherein in eine eschatologische Perspektive. Denn die Auferstehung der Toten war für das Judentum ein erst für das Ende der bisherigen Welt und den Beginn des kommenden Äons erwartetes Ereignis. Es ist außergewöhnlich, ja singulär, daß die leibliche Auferweckung einem einzelnen Menschen in der gegenwärtigen Geschichte zugesprochen wird, und zwar in dem vollen Sinn, daß er nicht in das irdische Leben zurückkehrt, sondern schon der transzendenten und zukünftigen Welt gehört.[14] Wenn die Jünger für die Erscheinungen, die ihnen

---

[12] Das Wort beim letzten Abendmahl, bei Lk 22,16 schon zu Beginn der Mahlszene überliefert, läßt auf Jesu Gedanken kurz vor seinem Tod durchblicken. Schwerer festzustellen ist es, in welchem Sinn Jesus seinen Tod verstanden hat, vgl. die unterschiedlichen Auffassungen bei *H. Schürmann*, Jesu ureigener Tod, Freiburg-Basel-Wien 1975; *K. Kertelge* (Hrsg.), Der Tod Jesu. Deutungen im Neuen Testament, Freiburg-Basel-Wien 1976 (mit Beiträgen mehrerer Autoren); *M.-L. Gubler*, Die frühesten Deutungen des Todes Jesu, Freiburg/Schweiz-Göttingen 1977, besonders 376–389.

[13] Nur ein paar Hinweise zur jüngsten Diskussion: *A. Vögtle/R. Pesch*, Wie kam es zum Osterglauben?, Düsseldorf 1975; *J. Kremer*, Entstehung und Inhalt des Osterglaubens. Zur neuesten Diskussion: Theol. Revue 72 (1976) 1–14; ausführlich *P. Hoffmann*, Art.: Auferstehung Jesu Christi, in: Theol. Realenzyklopädie IV (1980) 478–513 (mit reicher Bibliographie).

[14] *K. Berger*, Die Auferstehung des Propheten und die Erhöhung des Menschensohnes, Göttingen 1976, wollte nachweisen, daß das Judentum (und ihm folgend das Urchristentum) auch den Glauben an die Auferweckung getöteter Propheten schon vor der allgemeinen Totenerweckung ausgeprägt habe. Aber das dafür ausgewertete, überwiegend späte (aus christlicher Zeit stammende) Material ist problematisch. Unhaltbar scheint mir der Satz zu

zuteil wurden, diese eschatologische Ausdrucksweise wählten, ist das ein Zeugnis dafür, daß sie eine außergewöhnliche Erfahrung machten, die sie nicht anders, nicht besser als mit der Kategorie der Auferstehung wiederzugeben vermochten.

Die Konsequenzen für die christliche Eschatologie hat am deutlichsten, mit aller wünschenswerten Klarheit, der Apostel Paulus gezogen. In seinem Auferstehungskapitel, das gegen Leugner der künftigen Totenerweckung in der Gemeinde von Korinth gerichtet ist (1 Kor 15), geht er davon aus, daß Christus gemäß einer schon ihm überlieferten Glaubensformel am dritten Tag gemäß den Schriften auferweckt wurde und dem Kephas erschien, danach den Zwölf (V. 4). An diese Glaubensformel fügt er von sich aus noch weitere Erscheinungen des Auferstandenen an, am Ende die ihm selbst zuteil gewordene. Damit meint er ohne Zweifel das Erlebnis, das er vor Damaskus hatte und auf das er sich im Galaterbrief 1,16 mit den Worten bezieht, daß es Gott gefiel, ihm seinen Sohn zu offenbaren, damit er ihn unter den Heiden verkünde. Dieser Glaube an Christus, den Auferweckten, wird für Paulus die Basis des Glaubens an die künftige Auferweckung der Toten. Mit aller Schärfe hält er den Auferstehungsleugnern vor: „Wenn es keine Auferstehung der Toten gibt, ist auch Christus nicht auferweckt worden. Ist aber Christus nicht auferweckt worden, dann ist unsere Verkündigung nichts, und nichts ist euer Glaube. . . Wenn wir nur in diesem Leben auf Christus gehofft haben, ist unser Elend größer als das aller anderen Menschen" (1 Kor 15,13 f. 19).

Der Apostel stellt aber auch einen inneren Zusammenhang zwischen der Auferstehung Christi und der künftigen Auferstehung der Christen her. Er betrachtet gemäß der Adam-Christus–

---

sein: „Wenn Jesus sich als den letzten Verkündiger des Willens Gottes begreift, der inmitten einer Welt des Irrtums die letzte und entscheidende Chance zum Heil anbietet und getötet wird, dann gehört *nach traditioneller Erwartung* (von mir hervorgehoben) eine Auferweckung notwendig zu seinem Geschick dazu" (S. 232). Vgl. das vielschichtige Material für den jüdischen Glauben in: *H. C. C. Cavallin,* Life After Death. Paul's Argument for the Resurrection of the Dead in 1 Cor 15. Part I: An Enquiry into the Jewish Background, Lund 1974.

Typologie Christus als den Anfänger und das Haupt der neuen, erlösten Menschheit. Er nennt ihn den „Erstling der Entschlafenen", der auferweckt wurde, und sagt: „Da nämlich durch einen Menschen der Tod gekommen ist, kommt durch einen Menschen auch die Auferstehung der Toten. Denn wie in Adam alle sterben, so werden in Christus einst alle lebendig gemacht werden" (V. 20 f). Man kann dann weiter sehen, wie sich daraus für Paulus die künftigen eschatologischen Ereignisse abzeichnen; denn er bringt in dieser Perspektive auch die Ankunft Christi in Herrlichkeit, die Parusie, und das vollendete Reich Gottes zur Sprache. Wieder sei er selbst zitiert: „Es gibt aber eine Reihenfolge: erster ist Christus; dann folgen, wenn Christus erscheint, alle, die zu ihm gehören. Dann kommt das Ende, wenn er jede Macht, Gewalt und Kraft vernichtet und seine Herrschaft Gott dem Vater übergibt" (V. 23). Neu in dieser Sicht, verglichen mit der Botschaft Jesu, ist die Aussage, daß Jesus nach seiner Auferstehung die Herrschaft Gottes verwaltet, um sie am Ende, bei der Parusie, Gott dem Vater zu übergeben, damit „Gott alles in allem sei" (V. 28). Aber das ist in der nachösterlichen Situation nur konsequent. Die von Jesus in Aussicht gestellte vollendete Gottesherrschaft gewinnt durch die Auferstehung Jesu ein neues Ansehen. Sie wird in einer Weise schon durch den zur Rechten Gottes inthronisierten Christus ausgeübt, im irdischen Bereich noch verdeckt und doch so, daß an dem endgültigen Sieg über die Mächte des Bösen nicht zu zweifeln ist. Im Kreuzesgeschehen hat Christus den Triumph Gottes grundsätzlich, ein für allemal, herbeigeführt, in einer Weise, die der Welt als Torheit erscheint und sich doch als Weisheit Gottes erweist (vgl. 1 Kor 1,21–24; 2,6–9). Diese auf Kreuz und Auferweckung Jesu aufbauende theologische Reflexion können wir hier nicht weiter verfolgen. Was deutlich werden sollte, ist der neue Horizont, der sich für Paulus und das gesamte Urchristentum durch die Auferweckung Jesu für den eschatologischen Glauben auftut.

Nur eine wichtige Einsicht sei noch aus den Ausführungen des Paulus hervorgehoben: die Art der Auferstehung und die Beschaffenheit der Auferstehungsleiber. Im zweiten Teil von 1 Kor 15 nimmt er nämlich zum Wie der Auferstehung Stellung, weil diese Frage den Auferstehungsleugnern zu schaffen machte. Des längeren legt er dar, daß man sich den Leib der Auferstehung nicht nach der Art irdischer Leiber vorstellen darf. „Gesät wird ein irdischer Leib, auferweckt ein geistiger Leib... Wie wir das Bild des irdischen Menschen (nämlich Adams) getragen haben, werden wir auch das Bild des himmlischen (nämlich des auferweckten Christus) tragen" (V. 44.49). Auch das Auferstehungsgeschehen selbst entzieht sich menschlicher Vorstellungskraft. Obwohl sich Paulus nur in irdisch-menschlicher Weise ausdrücken kann, wird doch klar, was er meint. Er spricht davon, daß alle verwandelt werden, in einem einzigen Augenblick, und er nennt dieses Geschehen ausdrücklich ein Mysterium (V. 51). „Fleisch und Blut können das Reich Gottes nicht erben" (V. 50). So unbeholfen uns vielleicht die Sprache vorkommt, die manches der Apokalyptik verdankt, ist doch die Aussageintention, die Totenerweckung dem irdisch-geschichtlichen Erfahrungsbereich zu entziehen, nicht zu verkennen. Das, was wir schon in der Antwort Jesu an die Sadduzäer beobachteten, tritt bei Paulus im Blick auf Jesus, den Auferweckten, noch deutlicher zutage: Die Auferstehung der Toten darf nicht wie ein weltliches Ereignis verstanden werden. Aber ihre Tatsächlichkeit ist für das Urchristentum durch den Glauben an die Auferstehung Jesu zur unerschütterlichen Gewißheit geworden.

b) Parusie, Gericht, Neuschöpfung der Welt

Die Auferstehung der Toten ist für die Urkirche, wie sich noch an vielen anderen Texten zeigen ließe, der Kern ihrer eschatologischen Hoffnung. Der Gedanke der Auferstehung hat in der Tat stärkste existentiale Bezüge, weil sich jeder Mensch der Grenze des Todes ausgesetzt sieht und doch einen unstillbaren Lebensdrang hat. Für das biblische Ganzheitsdenken besitzt die Auferstehungshoffnung größere Kraft als der hellenistische Gedanke der Unsterblichkeit der Seele. Aber vom Kristallisationspunkt der Auferstehung Jesu her ergeben sich auch kosmische Perspektiven, öffnen sich Ausblikke auf andere eschatologische Ereignisse, die Menschheit und Welt betreffen. Unmittelbar mit der Auferstehung hängt, wie wir schon in 1 Kor 15 sahen, die Erwartung der Parusie zusammen. Der auferstandene, zur Rechten Gottes erhöhte Christus wird einst in Macht und Herrlichkeit kommen, und eben dies wird der Auftakt der Totenerweckung sein. „Vom Himmel her erwarten wir auch als Retter Jesus Christus den Herrn, der unseren armseligen Leib seinem verherrlichten Leib gleichgestalten wird gemäß der Kraft, mit der er sich alles unterwerfen kann", sagt Paulus im Philipperbrief (3,20 f). Dieser Glaube ist im Urchristentum äußerst lebendig, und er wurde auch nicht erschüttert, als sich die Parusie verzögerte. Die Erwartung des kommenden Herrn verbindet sich aber auch mit dem Gedanken an das Gericht, das dem Menschensohn, für die Urkirche Jesus Christus, übertragen ist. Denn die alte Prophetie von Dan 7,13, nach der „einer wie ein Menschensohn" auf den Wolken des Himmels kommen wird, wurde in der urchristlichen Schriftinterpretation auf Jesus Christus bezogen. Auch andere alttestamentliche Schriftstellen wurden damit kombiniert, so Sach 12,10 ff in Apk 1,7, und hier findet sich die Verbindung mit dem Gericht über die Völker. „Siehe, er kommt mit den Wolken, und schauen wird ihn jedes Auge, auch alle, die ihn durchbohrt haben. Und alle Stämme der Erde werden seinetwegen wehklagen." Die christliche Gemeinde aber ruft voll Sehnsucht und Zuversicht „Komm, Herr Jesus" – mit diesem Ruf schließt das prophetisch-apokalyptische Buch des Neuen Testaments (22,20).

Dem göttlichen Gericht, das der Menschensohn verwaltet, sind alle Menschen, auch die Christusgläubigen, unterworfen, wie am eindrucksvollsten das Gerichtsgemälde in Mt 25 veranschaulicht. In biblischer Bildsprache heißt es: „Wenn der Menschensohn in seiner Herrlichkeit kommt und alle Engel mit ihm, dann wird er sich auf den Thron seiner Herrlichkeit setzen. Und alle Völker werden vor ihm versammelt, und er wird sie voneinander scheiden, wie der Hirt die Schafe von den Ziegen scheidet." Dann erfolgt der Richterspruch, und wir kennen den Maßstab, den Jesus dafür setzt: „Was ihr für einen meiner geringsten Brüder getan habt, das habt ihr für mich getan. . . Was ihr nicht für sie getan habt, das habt ihr auch nicht für mich getan." Gemeint sind die Werke der Barmherzigkeit, und wir erinnern uns an das Wort Jesu: „Seid also barmherzig, wie euer himmlischer Vater barmherzig ist!" Auch bei diesen und ähnlichen Gerichtsschilderungen müssen wir die Aussageintention von der bildhaften und zeitbedingten Einkleidung abheben. Das allgemeine Weltgericht wird auch kurz in der Offenbarung des Johannes, wieder mit anderen Symbolen, dargestellt: „Ich sah die Toten vor dem Thron stehen, die Großen und die Kleinen. Bücher wurden aufgeschlagen, auch ein anderes Buch, das Buch des Lebens, wurde aufgeschlagen. Die Toten wurden nach ihren Taten gerichtet, nach dem, was in den Büchern geschrieben steht" (20,12). Das jüdische Erbe beim Gerichtsgedanken ist unverkennbar; in der christlichen Eschatologie wird er mit der Parusie Christi verbunden, und der Thron Gottes wird zum Richterstuhl Christi. Paulus sagt in 2 Kor 5,10: „Denn wir alle müssen vor dem Richterstuhl Christi offenbar werden, damit jeder den Lohn empfängt für das Gute und Böse, das er im irdischen Leben getan hat."

Schließlich soll noch eine eschatologische Hoffnung genannt werden, die ebenfalls jüdisches Erbe ist und nun neu in den christlichen Hoffnungshorizont eingebracht wird: die Neuschöpfung der Welt. Vom Schöpfungsglauben gespeist, durch das auf das Eschaton gerichtete Geschichtsdenken gefördert, erwartet Israel eine eschatologische Neuschöpfung, besonders deutlich in Jes 65,17 f, wo Gott spricht: „Ich erschaffe einen neuen Himmel und eine neue Erde, man wird nicht mehr an das denken, was früher war, man wird sich daran nicht mehr erinnern. Nein, ihr sollt euch ohne Ende freuen und jubeln über das, was ich erschaffe."[15] An diese Prophetie knüpft der Seher von Patmos unmittelbar an: „Und

---

[15] Freilich will beachtet sein, daß im Kontext (65,18b – 25) noch immer der Blick auf Jerusalem und das Volk Israel gerichtet bleibt und die kommende Welt mit irdisch-geschichtlichen Zügen geschildert wird. Eine ins Kosmische geweitete Erwartung findet sich dann deutlich in der Apokalyptik, z. B. äth. Henochbuch 72,1 („bis die neue, ewig dauernde Schöpfung geschaffen wird"); Jubiläenbuch 1,29 („bis zum Tag der Neuschöpfung, wo Himmel und Erde und alle ihre Geschöpfe erneuert werden"); syr. Baruchapokalypse 32,6; 44,12; 57,2; 4 Esra 7,75. Weiteres bei P. Billerbeck, Kommentar zum Neuen Testament aus Talmud und Midrasch III, 840–847.

ich sah einen neuen Himmel und eine neue Erde. Der erste Himmel und die erste Erde sind vergangen, und das Meer ist nicht mehr." Aber er fährt fort: „Und ich sah die heilige Stadt, das neue Jerusalem von Gott her aus dem Himmel herabkommen; sie war bereit wie eine Braut, die sich für ihren Mann geschmückt hat" (Apk 21,1 f). Das Bild der neugeschaffenen eschatologischen Welt verschmilzt mit dem Bild der vollendeten Gottesgemeinde, der Kirche als der Braut Christi. Auch hier wird die alte Erwartung im christlichen Horizont mit Christus in Verbindung gebracht. Die Apokalypse klingt dann in einer langen Schilderung des neuen Jerusalems aus. „Die Stadt braucht weder Sonne noch Mond, die ihr Licht spenden. Denn die Herrlichkeit Gottes erleuchtet sie, und ihre Leuchte ist das Lamm. Die Völker werden in ihrem Licht einhergehen, und die Könige der Erde bringen ihre Pracht in die Stadt" (Apk 21,23 f). Was hier, wieder mit Zitaten aus dem dritten Teil des Jesajabuches, geschildert wird, ist nicht nur Aufnahme und Christianisierung der jüdischen Hoffnung, sondern zugleich eine nachösterliche, symbolische Beschreibung des vollendeten Gottesreiches. So schlägt sich auch hier ein Bogen von der urchristlichen Eschatologie zur Botschaft Jesu zurück.

c) Unterschiedliche eschatologische Haltungen im Urchristentum

Nur noch kurz kann ich ein Phänomen streifen, das sich dem kritischen Beobachter der urchristlichen Eschatologie aufdrängt: die unterschiedliche Blickweise bei den einzelnen Theologen und in den von ihnen repräsentierten Gemeinden. In den neutestamentlichen Schriften haben wir ja Zeugnisse über einen längeren Zeitraum der urchristlichen Geschichte sowie aus verschiedenen Regionen der Urchristenheit vor uns. Das Bild der eschatologischen Hoffnung ist differenziert; das hängt in starkem Maß von der unterschiedlichen Intensität der Naherwartung ab, dann auch von den theologischen Akzenten, die die jeweiligen Autoren setzen. Bei Paulus ist die Naherwartung noch stark, ebenso bei Markus. Lukas hält zwar die Wachsamkeit für das Kommende, die Bereitschaft für das Kommen des Herrn lebendig, öffnet aber den Blick auch für eine längere Zeit der Kirche und ihrer Mission. Auf der Spannung zwischen dem Schon und Noch-Nicht, der schon erfolgten Erlösung und der noch ausstehenden Enderlösung, baut Paulus seine Theologie auf. Noch gehen wir glaubend, nicht schauend unseren Weg (2 Kor 5,7). Jetzt schauen wir noch wie in einem Spiegel und sehen nur rätselhafte Umrisse; dann aber schauen wir von Angesicht zu Angesicht (1 Kor 13,12). An die Hoffnung ist unsere Rettung gebunden; Hoffnung aber, die man schon erfüllt sieht, ist keine Hoffnung (Röm 8,24).

Wie ein Antipode zu Paulus erscheint Johannes mit seiner „vergegenwärtigten" Eschatologie.[16] Dieser Theologe, dem wir das Johannesevangelium verdanken, ist so sehr von der Gegenwart des Heils überzeugt, so sehr von dem überwältigt, was Jesus Christus schon jetzt für uns bedeutet, daß er die Akzente ganz auf das uns Geschenkte legt. Bei ihm sagt Jesus zu Marta angesichts des Todes ihres Bruders Lazarus: „Ich bin die Auferstehung und das Leben, wer an mich glaubt, wird leben, auch wenn er stirbt, und jeder, der lebt und an mich glaubt, wird in Ewigkeit nicht sterben" (11,25 f). Aber auch das Gericht erscheint schon als gegenwärtiges, als Selbstgericht des Unglaubens: „Wer an den Sohn Gottes glaubt, wird nicht gerichtet; wer aber nicht glaubt, ist schon gerichtet, weil er nicht an den Namen des einzigen Sohnes Gottes geglaubt hat" (3,18). Man hat gemeint, Johannes habe tatsächlich die ganze futurische Erwartung aufgegeben; aber diese Meinung ist unbegründet. Auch dieser Theologe hält die Perspektive für die Zukunft offen; nur relativiert er gleichsam das, was die Zukunft noch bringen kann, in der Überzeugung, daß das Entscheidende bereits durch Jesus Christus geschehen ist: Er hat uns Leben und Licht gebracht, das nicht mehr untergeht. Für ihn haben futurische Ereignisse, wie immer man sie sich vorstellen mag, ihr Schwerge-

---

[16] Vgl. dazu R. *Schnackenburg,* Das Johannesevangelium II, Freiburg-Basel-Wien ²1977, Exkurs S. 530–544 (mit weiterer Literatur).

wicht für den einzelnen Menschen verloren, wenn sich dieser im Glauben für Jesus Christus entscheidet. Dann hat er schon jetzt ewiges Leben in sich, und dieses erstreckt sich über den leiblichen Tod hinaus in die Ewigkeit Gottes. Auch Johannes verschließt die Augen nicht vor dem, was auf uns zukommt, auf den einzelnen der leibliche Tod, für die Kirche und die Menschheit Bedrängnisse in der Welt. Aber diese Dinge können den, der mit Christus verbunden ist, nicht mehr schrecken, er trägt das Leben, den Frieden, die Freude Christi in sich. Es ist wahr, daß Johannes damit eine mehr nach innen gewendete Frömmigkeit und eine Abgekehrtheit von der Welt fördert. Aber auch für ihn läuft die menschliche Geschichte weiter und bleibt Gott ihr Ziel. Der erste Johannesbrief, der wahrscheinlich von einem Mann aus seiner Schule stammt, spricht dann wieder von der Parusie, dem Gericht, der Vollendung bei Gott, doch, wie mir scheint, ganz im Geist des großen Theologen: „Geliebte Brüder, jetzt sind wir Kinder Gottes, und noch ist nicht offenbar geworden, was wir sein werden. Wir wissen aber, wenn er erscheint, werden wir ihm ähnlich sein, weil wir ihn sehen werden, wie er ist" (1 Joh 3,2).

Hier können wir abbrechen. Was in diesem dritten Teil deutlich werden sollte, ist die Entfaltung der urchristlichen Eschatologie im Blick auf Jesus Christus, den von Gott Auferweckten und Verherrlichten. Das jüdische Erbe, das in all dem nachwirkt, ist ebenso erkenntlich wie das Neue und Besondere, das im Urchristentum in Aufnahme der Jesusverkündigung und im Glauben an die Auferweckung des Gekreuzigten aufgebrochen ist. Auch die geschichtliche Einbindung und Artikulation des eschatologischen Glaubens bis hin zu unterschiedlichen Ausformungen und Akzentuierungen im Urchristentum können nicht übersehen werden. Dennoch hält sich eine klare Linie urchristlichen Zukunftsglaubens durch, die an der Person Jesu Christi, an dem, was er auf Erden verkündigte, durch seine Auferstehung bewirkte, durch seinen Geist uns schenkte und hoffen läßt, orientiert ist. Aber auch dies ist noch nicht der letzte Grund des christlichen Zukunftsglaubens; vielmehr ist dies der Glaube an Gott, den Schöpfer und Vollender, den Herrn der Geschichte, den Vater Jesu Christi, unseres Herrn, der seinen Sohn gesandt hat, um das Werk der Erlösung einer gottentfremdeten Welt durchzuführen. Und hier laufen im heutigen Horizont, im Gegenüber zum modernen Säkularismus, zu irdisch-innerweltlichen Heilsideologien, zum theoretischen und praktischen Atheismus, Grundauffassungen und Hoffnungen jüdischer und christlicher Theologie doch wieder zusammen. Das wollen wir bei allem Eigenen und Besonderen christlicher Eschatologie nicht vergessen.

Iring Fetscher

Braucht der Mensch eine außerweltliche Heilserwartung?

Es gibt Religionen ohne Eschatologie. Es gibt Kulturen und Menschen, die ganz im Diesseitigen leben. Aber vor allem die privilegierten Schichten bestimmter Gesellschaften – der spätgriechischen und römischen etwa – vermochten den Gedanken an die Einmaligkeit, Endlichkeit und Vergänglichkeit des Daseins „auszuhalten", ohne der religiösen Hoffnung auf ein besseres Jenseits zu bedürfen. Epikuräer und Stoiker schienen jedenfalls keiner Eschatologie zu bedürfen. Von *Epikur* stammt der bekannte Spruch: „Gewöhne dich an den Gedanken, daß der Tod uns nichts angeht, denn alles Gute und Schlimme beruht auf Empfindung, der Tod aber besteht eben in der Aufhebung der Empfindung. Deshalb *ermöglicht uns* die richtige Erkenntnis, daß der Tod uns nichts angeht, *erst den vollen Genuß des sterblichen Lebens,* indem sie nicht an dieses ein Dasein von unendlicher Dauer ansetzt, sondern indem sie *die Sehnsucht nach Unsterblichkeit beseitigt:* Denn nichts ist im Leben für den furchtbar, der wirklich den Gedanken erfaßt hat, daß im Nichtleben nichts Furchtbares liegt."
Und ganz ähnlich argumentiert *Lukrez*, der römische Epikuräer, in seinem Lehrgedicht „De natura rerum", wenn er sagt:
„Nichts also geht der Tod uns an, nichts kann er bedeuten,
Da ja das Wesen des Geistes nunmehr als *sterblich* erkannt ist.
Wie kein Leid wir litten in jenen vergangenen Zeiten,
Als die Punier kamen mit kampfgerüsteten Heeren,
Als von dem Lärme des Krieges erschüttert der schaudernde
Erdball. . .

So wird dann, *wenn wir nicht mehr sind,* wenn Körper und Seele
Reinlich sich scheiden, die jetzt sich in uns zur Einheit verbanden,
Sicherlich uns, die wir nicht mehr sind, nichts künftig mehr treffen,
Nichts auf der Welt mehr unser Gefühl zu erregen imstande sein,
Selbst wenn das Land und das Meer mit dem Himmel sich mischte,
Ja, wenn des Geistes Natur und die Kraft der Seele noch irgend
Etwas empfände, sobald sie aus unserem Körper geschieden,
Geht es uns doch nichts an. Denn wir, wir bestehen ja als Einheit
Nur durch den innigen Bund, den Körper und Seele geschlossen.
Selbst wenn die Zeit nach unserem Tod die gesamten Atome
Unseres Daseins wieder vereinigte, so wie sie jetzt sind,
Und wir das Lebenslicht zum anderen Male erblickten,
Würde auch dies Ereignis mitnichten uns irgend berühren,
Da an das frühere Leben uns fehlte die Wiedererinnerung. . .
Denn wenn es einem vielleicht in der Zukunft schlecht ergehn soll,
Müßt' er doch selbst in eigener Person, der es übel ergehen soll,
Dasein. Da nun der Tod dies aufhebt und die Person nicht
Existieren mehr kann, die Übel zu treffen vermöchten,
Lernt man daraus, daß im Tode wir nichts mehr haben zu fürchten,
Ferner, daß *wer nicht lebt, auch niemals elend kann werden,*
Ja, daß es gerade so ist, als wären mir nimmer geboren,
Wenn der *unsterbliche Tod uns das sterbliche Leben genommen.* . ."
(III 830 ff)

Entsprechend dieser Auffassung vom endlichen Leben und von der Freiheit, die nur jener gewinnt, der den Tod als Notwendigkeit und definitives Ende akzeptiert, legt Lukrez der „Natur" selbst die Mahnung an den sterbensunwilligen Alten in den Mund:

„Weg mit den Tränen, du Narr, und laß dein Klagen und
Jammern
Alles, was schön ist im Leben, das hattest du: nun bist du fertig;
Doch, weil du immer verschmähst, was du hast, und begehrst, was
du nicht hast,
So entschwand dir dein Leben in unerfreulicher Halbheit,
Bis sich der Tod urplötzlich zu Häupten dir stellte, bevor du
Scheiden konntest *gesättigt und voll von den Gütern des Lebens.*
Jetzt, laß alles im Stich, was sich nicht mehr schickt für dein
Alter.
Mach den Klügeren Platz, schnell! ohne zu murren, es muß
sein!"
(III 952 ff)

Trotz der Unterschiede in der Gestaltung des Lebens stimmen die Stoiker mit der Auffassung der Epikuräer von der definitiven Endlichkeit des Lebens völlig überein. So heißt es etwa bei *Epiktet*: „Du willst, daß ich das Fest verlasse? Ich gehe dir von Herzen dankend, daß du mich gewürdigt hast, an deinem Feste teilzunehmen und deine Werke zu schauen und dein Walten zu erkennen" (III,5,10). Und kritisch gegen einen Widersprechenden gewandt sagt er: „Hat dich Gott nicht als *Sterblichen* in die Welt eingeführt?... aber ich möchte noch weiter festen. Auch die Mysten und die Besucher des olympischen Festes. Aber das Fest hat ein Ende, *geh' – und zwar dankbar,* mach anderen Platz... was bist du unersättlich und ungenügsam und beengst den Kosmos" (IV, 1.106).

In all diesen Überlegungen und moralischen Mahnungen wird aber stets – wie selbstverständlich – unterstellt, daß die Menschen „ihr sterbliches Leben voll genießen" können (Epikur), daß sie „alles, was schön ist im Leben" hatten (Lukrez), daß ihr Leben der Teilnahme an einem Feste glich (Epiktet). Mit anderen Worten: diejenigen, die von der epikuräischen und stoischen Philosophie angesprochen werden, sind wenn nicht ökonomisch so zumindest kulturell die Privilegierten, diejenigen, die einen Anteil an den kulturellen Genüssen ihrer Zeit haben oder doch haben könnten. Bei allem Aufruf zur Bescheidenheit und Genügsamkeit, der die Stoa kennzeichnet, kann sie doch kaum das Ohr derjenigen erreichen, die unter den unsäglichen Leiden und Entbehrungen leben müssen, wie sie für die unterste Schicht der Sklaven und Fremdvölker im späten Rom kennzeichnend war. In den Kreisen dieser Menschen, die weithin von den Genüssen des Daseins ausgeschlossen waren, breiteten sich daher auch jene Mysterien- und Erlösungsreligionen aus, von denen schließlich das Christentum sich durchsetzen sollte. Die Sehnsucht nach einem „besseren Jenseits", nach einem anderen und seligeren Leben als diesem „irdischen Jammertal" mußte dort am entschiedensten aufbrechen, wo das alltägliche Dasein durch und durch von Elend und Not geprägt war.

Für die Mühseligen und Beladenen der Spätantike war denn auch die Frohbotschaft von der Auferstehung des Leibes und vom ewigen Leben ein sehnsüchtig erwartetes Versprechen. Erst bei den *Kirchenvätern*, die auch den wohlhabenden Schichten die Lehren des Evangeliums zu verkündigen hatten und die sich mit der noch immer einflußreichen heidnischen Philosophie auseinandersetzen mußten, wird daher mit ausführlichen Argumenten die Möglichkeit einer Auferstehung intellektuell gerechtfertigt und der Glaube gegenüber Angriffen ideologischer Polemik verteidigt. Den Wohlhabenden aber wird die Vergänglichkeit und damit auch die Geringfügigkeit ihres noch so großen Besitzes vor Augen geführt, der gegenüber allein die im Jenseits zu erhoffende ewige Seligkeit wirklichen Wert besitze.

„Denn der Tod ist allen gemeinsam, ohne Unterschied für die Armen, ohne Ausnahme für die Reichen. Und obgleich er nur durch *eines* Menschen Sünde in die Welt gekommen ist, ist er doch auf alle übergegangen, damit wir ihn, den wir als Urheber des ganzen Geschlechts nicht verleugnen, auch nicht verleugnen als den Urheber des Todes; damit sodann durch einen uns die Auferstehung komme, wie durch einen der Tod gekommen ist. Wir sollen also die Plage nicht zurückweisen, damit wir auch zur *Gnade* gelangen" (*Ambrosius,* Über den Glauben an die Unsterblichkeit).

Bei verschiedenen Kirchenvätern wird die Auferstehung als die Zusammenfügung der unsterblichen Seele mit dem auferstandenen Leib ausführlich erklärt und die Schwierigkeit der Wiederauffindung der in alle vier Winde zerstreuten materiellen Bestandteile des Körpers der Verstorbenen durch den Hinweis auf die göttliche Allmacht gelöst. So schreibt z. B. *Tertullian:*

„Der Leib wird auferstehen, und zwar jeder und als derselbe, der er früher war, und vollständig. Wo er sich auch immer befindet, ist er bei Gott in Sicherheit hinterlegt durch den treuesten Mittler zwischen Gott und den Menschen, Jesus Christus, der dem Menschen Gott und Gott den Menschen wiedergeben wird, dem Fleisch den Geist und dem Geiste das Fleisch: denn beides hat er in seiner Person vereinigt ... Was du als Untergang ansiehst, ist nur ein *vorübergehendes Sichentfernen.* Nicht die Seele allein wird entfernt, auch das Fleisch hat während der Zeit seine Verstecke: im Wasser, im Feuer, in den Vögeln, in den wilden Tieren. Wenn es in diese aufgelöst zu werden scheint, dann ist es gleichsam in andere Gefäße verteilt. Und wenn die Gefäße auch fehlen, wenn es auch aus diesen in seine mütterliche Erde ausfließt, dann macht es gleichsam *nur einen Kreislauf* durch, so daß aus ihr wieder ein Adam hergestellt wird, der vom Herrn die Worte hören soll: ‚Siehe, Adam ist wie einer aus uns geworden!' (Gen 3,22). Dann ist er wirklich kundig des Bösen, dem er entronnen ist, und kundig des Guten, in das er eingegangen ist. Warum Seele, empfindest du Neid gegen den Leib? Niemand steht dir so nahe, den du nächst dem Herrn lieben könntest. Niemand ist in höherem Grade dein Bruder, der auch mit dir in Gott geboren wird!" (*Tertullian,* Von der Auferstehung des Fleisches, 63).

Ganz ähnlich weist auch *Ambrosius* auf die Erde hin, aus der die materiellen Bestandteile des abgestorbenen Leibes zu neuem Leben sich zusammenfügen. Dabei dient ihm der natürliche Kreislauf von Samenkorn-Pflanze-Samenkorn als Symbol und Argument für die

Fähigkeit der Erde, aus sich heraus das Abgestorbene zu reproduzieren. Und nachdem er auf diesen natürlichen Vorgang hingewiesen hat, der kreisförmig immer wieder sich erneuert, fragt er: „Wie kannst du dich da wundern, wenn die Erde die Menschenleiber wieder herausgibt, die sie aufgenommen hat! Sie belebt, kleidet, bewahrt und beschützt ja doch alle Saatkörner, die ihr anvertraut werden. So höre auf zu zweifeln, ob die treue Erde das hinterlegte menschliche Gebein wieder herausgeben werde, sie, die alle anvertraute Saat mit Wucherzins in den Früchten zurückgibt . . ." „Sollte nun die göttliche Vorsehung um das Sprossen der Bäume Sorge tragen, der Menschen aber nicht gedenken? Wenn sie das, was sie zum Gebrauch der Menschen geschaffen hat, nicht zugrundegehen läßt; sollte sie gestatten, daß der Mensch vernichtet werde, der doch nach dem Ebenbild Gottes geschaffen ist?" (*Ambrosius*, Über den Glauben an die Unsterblichkeit).

Die Verwendung des Vergleichs mit dem Samen und der aus ihr neu entstehenden Pflanze ist aber nicht unproblematisch. Sie vermag jedenfalls nicht den Gedanken abzuweisen, gegen dessen „Trostlosigkeit" Augustinus in „De Civitate Dei" mit so großem Nachdruck argumentiert hat, den Gedanken des Kreislaufs, der für die heidnische Kosmologie charakteristisch war und gegen den sich das christliche Weltbild kehren mußte. Doch ehe wir uns Augustin zuwenden, will ich noch auf einen zweiten Argumentationszusammenhang hinweisen, der von den Kirchenvätern zur Legitimierung des Glaubens an die Unsterblichkeit der Seele, die Auferstehung des Leibes und das ewige Leben herangezogen wird.

„Jeder Stand hat seine Plage", heißt es bei *Basilius dem Großen*, „die jeder Beruf kennt. Nicht um ihrer selbst willen trägt man sie, sondern *zur Erlangung der verheißenen Güter*. Hoffnungen, die den Menschen sein ganzes Leben lang halten und begleiten, ja jedem *seine Bürde erleichtern* . . ."

Während alle Anstrengungen um den Erwerb irdischer Güter immer wieder zunichte gemacht werden, sind allein die sittlichen Bemühungen, die dem Erwerb der ewigen Seligkeit dienen, nie vergeblich.

„Nur denen, die sich um die Frömmigkeit bemühen, vermochte keine Lüge die Hoffnung zu rauben, kein Ende die Mühen zu verdrießen, da ihrer ein sicheres und dauerndes Himmelreich harrt" (*Basilius*, Brief an Makarios und Johannes 18).

Und noch deutlicher unterstreicht *Cyrill von Jerusalem* die Bedeutung der Auferstehungshoffnung für die Sittlichkeit: „Die Hoffnung auf die Auferstehung ist die *Wurzel jeder guten Handlung*. Die *Erwartung eines Lohnes stärkt die Seele* zu gutem Werk. Jeder Arbeiter ist ja gern bereit, die Mühen zu ertragen, wenn er den Lohn für die Mühen voraussieht; wer aber für seine Mühen keinen Lohn erhält, bricht physisch und moralisch zusammen. . ." (*Cyrill von Jerusalem*, Taufkatechese, 18).

Auch wenn *Kant* unter den Postulaten der reinen praktischen Vernunft gleichfalls die „Unsterblichkeit" aufführt, gilt bei ihm allerdings, daß die eigene Glückseligkeit jedenfalls nicht *Motiv* des moralischen Handelns (Prinzip der Moral) sein soll. Kant argumentiert vielmehr wie folgt: Da sich im Menschen ein ,moralisches Gesetz' in Gestalt des Gewissens vorfindet und da wir annehmen müssen, daß nichts in der Natur schlechthin „unzweckmäßig" ist – zugleich aber beobachten, daß es in diesem Leben keine Übereinstimmung zwischen Moralität (Würdigkeit) und äußeren Glücksumständen herrscht –, zwingt uns diese Diskrepanz zur Annahme eines „ewigen Lebens", eines jenseitigen Daseins, in dem jene Angemessenheit von Moralität und Glückseligkeit, die von der Vernunft als notwendig erkannt wird, auch tatsächlich existiert. Die Idee des höchsten Gutes, welche die Möglichkeit der Hoffnung auf eine der Sittlichkeit angemessene Glückseligkeit einschließt, läßt uns ein künftiges Leben in einer *„moralischen Welt"* voraussetzen, zu der wir uns als durch die Vernunft gehörig denken müssen und die als eine Folge unseres Verhaltens in der Sinnenwelt anzunehmen ist (Kritik der reinen Vernunft, Transzendentale Methodenlehre 2. H. 2. Abs.).

Der Zusammenhang von Unsterblichkeit und Moralität ist bei Kant insofern anders als bei Cyrill und Basilius, als einmal die Glückseligkeit nicht individuelles Motiv des moralischen Handelns sein soll und zum anderen das „ewige Leben" nicht als Auferstehung des Leibes, sondern als Dasein in einem „mundus intelligibilis", einer ideellen und moralischen Welt begriffen wird. Kant führt aber auch noch ein weiteres Argument für die Annahme der Unsterblichkeit an, das unmittelbar aus seinem „reformistischen Progressismus" folgt. Die oberste Bedingung des ‚höchsten Gutes' (der Glückseligkeit) ist die *völlige Angemessenheit der Gesinnung zum moralischen Gesetz"*, eine solche Angemessenheit wäre ‚Heiligkeit'. Diese aber könne von einem *endlichen Wesen nur in einem ins Unendliche gehenden Progreß* erreicht werden, und dies zwinge zur Annahme der Unsterblichkeit (Kritik der praktischen Vernunft IV–VI). Zu dieser Konzeption muß Kant notwendig deshalb gelangen, weil er das Moment der göttlichen Gnade aus seinen Überlegungen vollkommen ausgeschaltet hat. Angesichts der moralischen Schwäche des endlichen Menschen bleibt ihm daher nur die Forderung eines unendlichen Progresses hin zur Heiligkeit als Lösung übrig. Nur unter dieser – problematischen – Voraussetzung kann „völlige Angemessenheit der Gesinnung zum moralischen Gesetz" erlangt werden. Man muß also annehmen, daß auch in einem „Jenseits" der Fortschritt in Richtung auf eine vollkommene Sittlichkeit sich noch unendlich fortsetzen muß. Es ist also weniger von einer außerweltlichen Heilserwartung als von einer jenseitigen Fortsetzung irdischer Bemühungen um moralische Gesinnung die Rede. Der „Pilgrims Progress" wird ins Moralische gewandt.

Ich bin nur deshalb schon hier etwas ausführlicher auf Kant eingegangen, weil an seinen Vorstellungen zum erstenmal die Alternative des unendlichen Progresses auftaucht. An die Stelle des „neuen Himmels und der neuen Erde", in denen die Seligen wohnen, tritt der ins Unendliche fortgesetzte moralische Fortschritt. Das ist die „reformistische" Variante zur Eschatologie. Die „Revolution der Denkungsart", von der Kant spricht, vermag nicht als solche schon das Millenium heraufzuführen, sondern steht erst am Anfang einer Entwicklung, deren Ende nicht abzusehen ist. Festzuhalten bleibt allerdings, daß auch der kritische Kant die Idee der Unsterblichkeit als ein notwendiges Postulat (allerdings ein theoretisch nicht als Realität beweisbares) anerkannt hat. Der Moralphilosoph braucht dieses Postulat, braucht in gewisser Weise eine Art außerweltlicher Heilserwartung, auch wenn sie nicht mehr so zentral und ,vital' fundiert ist wie bei den frühen christlichen Denkern.

Doch kehren wir noch einmal zu *Augustin* zurück. In der spätantiken Philosophie war die Bereitschaft zur Anerkennung der Endlichkeit des individuellen Lebens mit der Überzeugung von *Ewigkeit der Natur* verknüpft. Das Entstehen und Vergehen der Individuen war ein Teil des ewigen Kreislaufs der Natur. Der göttliche Kosmos, wie ihn Aristoteles und die nacharistotelische Philosophie empfand, war zugleich wohlgeordnet, schön und ewig. Die Bewegungen in der Natur erfolgten in Gestalt des Kreises, der vollkommensten geometrischen Figur. Und ebenso geschah es auch mit den menschlichen Dingen – den Verfassungen etwa –, die ihrem ewig gleichen Kreislauf folgten. Der Gedanke eines prinzipiellen Fortschritts lag diesem Denken völlig fern. Daher wurden zur Zeit des Augustin noch oft genug Vorstellungen von einem seligen Leben im Jenseits mit jener Philosophie der ewigen Wiederkehr kombiniert. Im „Gottesstaat" kritisiert nun Augustinus diesen Gedanken und bezeichnet die Behauptung, „daß die Seelen, der höchsten und wahren Glückseligkeit einmal teilhaftig, immer wieder und wieder im Kreislauf der Zeiten zu den gleichen Leiden und Mühen zurückkehren" müssen, als „gottlos" (XII,21).

„Stellen wir uns einmal die Lehre vom Kreislauf mit Bezug auf die Seele klar vor Augen; wir werden sehen, daß sie für fromme Ohren unerträglich ist. Danach würde man nämlich *nach drangsalreichem Leben* . . . nach endlicher Befreiung von so großen, zahlreichen und furchtbaren Übeln, mit Hilfe der wahren Religion und Weisheit zwar zur Anschauung Gottes gelangen und glückselig werden durch Versenkung in den Anblick des unkörperlichen Lichtes auf dem Weg der Teilnahme an dessen unwandelbarer Unsterblichkeit, die *das Ziel unserer brennenden Sehnsucht ist,* jedoch *nur vorübergehend.* Und hierauf würde man aus jener Ewigkeit, Wahrheit und

Glückseligkeit herabstürzen und sich *in jammervolle Sterblichkeit,* schmähliche Torheit, fluchwürdiges Elend aufs neue verstricken unter Gefahr, Gott zu verlieren, die Wahrheit zu hassen, in unreinen Schlechtigkeiten die Glückseligkeit zu suchen. Und das wäre und würde geschehen immer und immer wieder ohne Anfang und Ende in gehenden und kommenden Zeitaltern von bestimmten ... Abmessungen ..." (Bibliothek der Kirchenväter, Augustinus Bd. II, S. 236 f).

Diese Lehre wird von Augustinus als widersinnig erwiesen. Denn entweder wissen wir schon hier um den ewigen Kreislauf von seligen und unseligen Zeiten, dann macht das unsere Liebe erkalten, oder wir wissen hier nur um die künftige Seligkeit, dort aber um die bevorstehende irdische Leidenszeit, dann aber ist das irdische Leben mit seiner Hoffnung bei weitem vorzuziehen. Oder aber wir leben auch im Jenseits ohne Wissen um das bevorstehende Ende und die Rückkehr zum Diesseits, dann ist in intellektueller Hinsicht die Seligkeit in ihrem Wert fragwürdig. „In Wahrheit wären wir, hienieden gegenwärtigen Leiden preisgegeben, im Jenseits künftige fürchtend, *niemals selig,* vielmehr stets unselig". Und – wie schon Karl Löwith gezeigt hat – nicht durch ein Argument, sondern durch den Hinweis auf die Offenbarung wird schließlich die Lehre von den „nichtigen und ungereimten Kreisbewegungen der Gottlosen" zurückgewiesen:

„Aber das ist falsch" – entgegnet Augustin nach seiner Exposition der heidnischen Lehren vom Kreislauf – *„die Religion* verkündet es laut, die Vernunft beweist es; jene verheißt uns untrüglich *eine wahre Glückseligkeit,* diese *verbürgt uns,* daß eine solche mit unverbrüchlicher Sicherheit ist, die immerdar fortdauern muß und nie durch Unseligkeit unterbrochen werden darf. Und so wollen wir *den geraden Weg* gehen, der für uns Christus ist, und unter ihm als Führer und Heiland auf der Bahn des Glaubens uns abkehren von der nichtigen und ungereimten Kreisbewegung der Gottlosen ... Mit diesen Kreisläufen ist aber zugleich jeder Grund hinweggeräumt, der dazu nötigte, einen zeitlichen Anfang des Menschengeschlechts in Abrede zu stellen mit Berufung darauf, daß es infolge angeblicher Kreisläufe nichts Neues auf der Welt gebe . . ." (a. a. O. S. 239).

Mit der Absage Augustins an die unseligen Kreisläufe der antiken Philosophen setzt sich auch im Denken der Gebildeten der Spätantike eine lineare, auf ein Eschaton gerichtete Auffassung des Schicksals der Menschheit durch. Karl Löwith hat in „Weltgeschichte und Heilsgeschehen" aufgezeigt, wie die klassischen Geschichtstheologien und Geschichtsphilosophien über Joachim von Fiore, Bossuet, Comte und Hegel bis hin zu Karl Marx sämtlich aus Modifikationen und Säkularisationen dieses christlichen Weltverständnisses hervorgegangen sind.

Der Gedanke, daß nicht nur das individuelle Dasein in einem himmlischen oder höllischen Jenseits auf ewig aufgehoben sein wird, sondern daß auch das Weltgeschehen selbst auf ein letztes Ziel sich hinbewegt, das dem Ganzen Sinn und Bedeutung verleiht, gehört seither zu den mehr oder minder bewußten, aber kaum je ganz vergessenen Voraussetzungen abendländischen Denkens. Im Lauf des 19. Jahrhunderts freilich ist die Hoffnung auf den „neuen Himmel und die neue Erde", auf das endgültige Heil mehr und mehr zum Glauben an den *unendlichen materiellen Fortschritt* verflacht. Mit dem wachsenden Bewußtsein des „Endes des Wachstums", der Begrenztheit dieser Art von Fortschritt sind aber – wenn nicht alles täuscht – auch die alten Fragen nach dem Sinn eines auf die Diesseitigkeit beschränkten Daseins neu erwacht. Auf der einen Seite tauchte im Umfeld des Marxismus mit *Ernst Bloch* ein Denker auf, der die Verflachung des marxistischen Progressismus zu durchbrechen suchte und gleichsam eine atheistisch-religiöse Überhöhung der revolutionären Zukunftshoffnung anstrebte. Auf der anderen Seite besannen sich Theologen auf das eschatologische Moment im Christentum – gerade im Unterschied, wenn nicht im Gegensatz zu dem bloß materiellen Fortschrittsoptimismus der säkularen Denker und dessen Umschlagen in resignativen Pessimismus, wie er seit Oswald Spengler immer häufiger wurde.

Nach dieser Skizze über den Ursprung der Jenseitshoffnung und der außerweltlichen Heilserwartung im abendländischen Denken möchte ich – noch knapper – aufzeigen, wie die Verwandlungen dieser außerweltlichen Heilserwartung in innerweltlichen Fortschritt in unterschiedlicher Weise fragwürdig geworden sind. Dabei werde ich mich mit einigen wenigen Andeutungen begnügen.

Am eindeutigsten hat der technizistische *Fortschrittsbegriff* seine unüberschreitbaren Grenzen offenbart. Merkwürdigerweise gerade im Augenblick, da die menschliche Technik ihre größten Triumphe feierte: mit der Eroberung des Weltalls, mit der gelungenen Kernspaltung, mit der Entdeckung des genetischen Code. Es ist aber vermutlich doch kein Wunder, daß gerade auf diese Entdeckungen und Erfindungen die Einsicht in die Begrenztheit menschlicher Möglichkeiten folgte. Ich brauche hier nicht die Argumente der Ökologen und anderer zu wiederholen. Auch wenn man hinsichtlich der Zeitperspektiven streiten mag, so wird doch niemand leugnen, daß die „Grenzen des Wachstums", die Grenzen eines linearen, materiellen Fortschritts sichtbar geworden sind. Die Erde verfügt nicht über unbegrenzte Rohstoff- und Energieressourcen. Im Interesse der Erhaltung einer Leben ermöglichenden Ökosphäre dürfen nicht alle technisch möglichen Produktionen auch realisiert werden. Mit der Möglichkeit der Gen-Manipulation hat die Biologie Grenzen erreicht, an denen experimentellen Naturwissenschaftlern Bedenken kommen müssen. Der naive Glaube an die universelle „Machbarkeit" von Glück ist im Schwinden. Die Ambivalenzen der technischen Fortschritte werden immer deutlicher: höheres Bruttosozialprodukt garantiert keinen höheren Wohlstand, höherer Wohlstand garantiert kein ‚besseres Leben'. Mit der Industrialisierung gehen häufig Neurotisierung der Arbeitenden, Vergrößerung sozialer Disparitäten, Verlust des ethnischen, kulturellen und religiösen Identitätsbewußtseins einher. Eine generelle Industrialisierung aller Weltgegenden ist weder – angesichts der Ressourcenknappheit – möglich, noch – angesichts der daraus folgenden Umweltbelastung – wünschenswert. Die Technik hat – bei all ihrer gewaltigen

Bedeutung – die Rolle eines stellvertretenden Heilsbringers verloren, auch wenn diese Erkenntnis noch nicht bis zu den populären Medien vorgedrungen ist. Im Augenblick kämpft die Medizin – wenn ich recht sehe – mit dem noch immer verbreiteten Vorurteil, sie könne „alle Schäden reparieren", und Krankheit, Leiden und Tod seien jedenfalls prinzipiell durch sie besiegbar.

Aber nicht nur die technische Utopie, auch die *Sozialutopie* des Kommunismus hat ihre Überzeugungskraft eingebüßt. Zumindest geben die intelligenteren Exponenten des marxistischen Sozialismus heute selber zu, daß es eine vollkommene, perfekte Gesellschaftsordnung, in der alle Menschen glücklich sein werden, nie geben wird. Um nur Autoren zu nennen, die sich selbst als orthodoxe Marxisten verstehen, möchte ich lediglich auf *Adam Schaff* hinweisen, der die Fortdauer der *Entfremdung*, der entfremdeten Arbeit auch in den Ländern des „real existierenden Sozialismus" konstatiert hat, sowie auf den französischen Kommunisten *Louis Althusser,* der – im Gegensatz zu Marx – annimmt, daß es auch in einer kommunistischen Gesellschaft noch eine *Ideologie* – also falsches Bewußtsein – geben wird. Mit der Annahme, daß weder Entfremdung endgültig aufhebbar sei noch die Ideologie durch ein klares und irrtumsfreies Bewußtsein der sozialen Zusammenhänge abgelöst werden könne, ist ein deutlicher Verzicht gegenüber dem ursprünglichen Marxschen Ansatz ausgesprochen. Weit radikaler noch lautet die These des sowjetischen Philosophen *Alexander Sinowjew,* der in seinen satirischen Romanen die These vertritt, die gegenwärtige Sowjetunion mit all ihrer Unterdrückung von Kreativität und Freiheit, mit ihrem Denunziantentum, ihrer bürokratischen Mangelwirtschaft – das sei der vollendete Kommunismus, und einen anderen werde es niemals geben. M. a. W.: die diesseitige Heilserwartung ist zum perfekten Unheil ausgeschlagen. Auch wenn man die Hoffnungslosigkeit der düsteren Satire Sinowjews kritisieren kann, so bleibt doch die Tatsache bestehen, daß über sechzig Jahre nach der Oktoberrevolution das Land des „real existierenden Sozialismus" für entwickelte westliche Industriestaaten kaum als „leuchtendes Vorbild" utopischer Hoffnungen erscheint.

Aber auch das bescheidenere Zukunftsideal eines durch soziale Reformen *perfektionierten Wohlfahrtsstaates* stößt deutlich an seine Grenzen. Die Möglichkeiten, durch Umverteilung mit Hilfe von Steuern und Sozialleistungen Lasten und Leiden sozial gerecht verteilen zu können, sind offenbar erschöpft und werden – angesichts verringerten oder gar sistierten Wachstums – weiter eingeschränkt. Ein Umdenken in Richtung auf weniger anspruchsvolle, dezentralisierte und die Prävention an die Stelle von Therapie setzende Sozialpolitik zeichnet sich ab.

Die Hoffnung auf eine *einheitliche Weltkultur,* die noch die Gründung des Völkerbundes und der Vereinten Nationen beflügelt hat, ist in den letzten zehn Jahren zunehmend durch die Explosion von Revolutionen, die auf die vermehrte Bestätigung der *Eigenart und Besonderheit* ethnischer Einheiten gerichtet waren, verdrängt worden. Wir bewegen uns politisch ganz offenbar nicht auf die „eine Welt" zu. Gegensätze auch zwischen Ländern verwandter oder gleicher Sozial- und Wirtschaftsordnung brechen auf: wie die zwischen China und der Sowjetunion, zwischen China und Vietnam, zwischen Vietnam und Kambodscha. Von älteren Religionen getragene Gegenrevolutionen gegen „von oben" eingeleitete Verwestlichungen – wie im Iran – setzen sich durch. Der Wunsch, die nationale oder ethnische Identität aufrechtzuerhalten oder sogar erst neu zu konstituieren, erweist sich als mächtiger als die Faszination der erfolgreichen westlichen Technologie, deren soziale und kulturelle Nebenwirkungen offenbar heute stärker und früher empfunden werden als noch vor zehn Jahren.

Obgleich alles dafür spricht, daß ein weltweiter Friede, weltweiter sozialer Ausgleich und soziale Gerechtigkeit im Inneren der Länder nötiger sind als je zuvor, deutet doch nichts darauf hin, daß diese Ziele auch erreicht werden. Skepsis und Resignation breiten sich aus. Zumindest werden überschwengliche Ziele auf realisierbare und bescheidene Dimensionen zurückgeschraubt. Im Zeitalter der Raumfahrt geht die Hoffnung auf Verwirklichung diesseitiger Heilserwartungen deutlich zurück.

Die große Faszination, die vom Werk *Ernst Blochs* gerade in den letzten zehn bis zwanzig Jahren ausging, hängt vermutlich nicht zuletzt damit zusammen, daß er es verstanden hat, die innerweltliche Eschatologie einer marxistischen Zukunft so zu formulieren, daß sie von den Mißerfolgen in den Ländern des „real existierenden Sozialismus" kaum betroffen werden kann. Bloch hat in einer für unsere positivistisch denkende Gegenwart ganz ungewöhnlichen Weise den Mut zu spekulativer Philosophie besessen und mit diesem Mut sich unter anderem auch *Friedrich Engels* entgegengestellt. Für Friedrich Engels stellte nämlich offenbar die Perspektive eines – mit unausweichlicher Notwendigkeit – kommenden *Kältetodes* der Erdbevölkerung keine Beeinträchtigung seines sozialistischen Fortschrittsglaubens dar. Man könnte sagen: so groß war seine Zuversicht, daß in absehbarer Zeit die Weltrevolution siegen werde, daß er auch die – freilich sehr ferne – Perspektive eines Kältetodes in Kauf nehmen konnte. In der „Dialektik der Natur" schrieb er:

„Die neue Naturanschauung war (im Laufe des 19. Jahrhunderts) in ihren Grundzügen fertig: alles Starre war aufgelöst, alles Fixierte verflüchtigt, alles für ewig gehaltene Besondere vergänglich geworden, die *ganze Natur als* in ewigem Fluß und *Kreislauf* sich bewegend nachgewiesen.

Und so sind wir denn wieder *zurückgekehrt* zu der Anschauungsweise der großen Gründer der *griechischen Philosophie,* daß die gesamte Natur, vom Kleinsten bis zum Größten, von den Sandkörnern bis zu den Sonnen, von den Protisten bis zum Menschen, *in ewigem Entstehen und Vergehen,* in unaufhörlichem Fluß, in rastloser Bewegung und Veränderung ihr Dasein hat. Nur mit dem wesentlichen Unterschied, daß, was bei den Griechen geniale Intuition war, bei uns Resultat streng wissenschaftlicher, erfahrungsmäßiger Forschung ist . . . Allerdings ist der empirische Nachweis dieses Kreislaufs nicht ganz frei von Lücken, aber diese sind unbedeutend im Vergleich zu dem, was bereits sichergestellt ist. . ." (MEW 20, S. 320).

„Millionen Jahre mögen darüber vergehn, Hunderttausende von Geschlechtern geboren werden und sterben, aber unerbittlich rückt die Zeit heran, wo die sich erschöpfende Sonnenwärme nicht mehr ausreicht, das von den Polen herandrängende Eis zu schmelzen, wo die sich mehr und mehr um den Äquator zusammendrängenden Menschen endlich auch dort nicht mehr Wärme genug zum Leben finden, wo nach und nach auch die letzte Spur organischen Lebens verschwindet und die Erde, ein erstorbener, erfrorner Ball wie der Mond, in tiefer Finsternis und in immer engeren Bahnen um die ebenfalls erstorbne Sonne kreist und endlich hineinfällt ... nur noch eine kalte, tote Kugel ... (auf) einsamem Weg durch den Weltraum. Und so wie unserm Sonnensystem ergeht es früher oder später allen anderen Systemen unsrer Weltinsel, ergeht es denen aller übrigen zahllosen Weltinseln, selbst denen, deren Licht nie die Erde erreicht..." (a. a. O. S. 324).

„Es ist *ein ewiger Kreislauf*, in dem die Materie sich bewegt ... Wir haben die Gewißheit, daß die Materie in allen ihren Wandlungen ewig dieselbe bleibt, daß keins ihrer Attribute je verloren gehen kann, und daß sie daher auch mit derselben eisernen Notwendigkeit, womit sie auf der Erde ihre höchste Blüte, den denkenden Geist, wieder ausrotten wird, ihn anderswo und in andrer Zeit wieder erzeugen muß" (a. a. O. S. 327).

Engels also kehrt zu den „trostlosen Kreisläufen der Heiden" zurück und scheint im Bewußtsein der Ewigkeit der Materie und des noch sehr fern liegenden Zeitpunkts des Kältetodes sich zufrieden zu geben. Nicht so *Ernst Bloch*, der in seinem Essay „Differenzierungen im Begriff Fortschritt" mit metaphysischem Mut der naturwissenschaftlichen Kosmologie und ihrem Kältetod die Forderung einer anderen gleichsam eschatologischen Kosmologie entgegenstellt:

„Die wahrhafte ‚Goldzeit' der historischen Anthropologie kann nicht ohne die ebenso wahrhafte ‚Goldzeit' einer neuen *humanistischen Kosmologie* erfaßt werden. Einer solchen also, die die humane Geschichtzeit als ihr einflußreiches Vorher hat und so die Geschichte zuletzt positiv – möglicherweise auch in natura, in einem Weltmaß *erfüllt*, statt negativ – möglicherweise begräbt" (Tübinger Einleitung in die Philosophie I, Frankfurt 1963, S. 196).

Wenn die sozialistische Endzeit sich wahrhaft bewähren soll, so muß sie – mit anderen Worten – auch gegen den kosmologischen Kältetod gefeit sein. Ernst Bloch macht Ernst mit der Verweltlichung der christlichen Zukunftshoffnung und scheut sich nicht davor, den Erkenntnissen der Naturwissenschaft zu trotzen. Die Vergöttlichung der in ihre wahre Heimat strebenden Menschheit erscheint bei ihm als eine unvermeidliche denkerische Konsequenz. Genau in dem Maße wie die zeitlich limitierten Hoffnungen und Erwartungen enttäuscht wurden, verschärfte sich das Bedürfnis nach einer gegen *jede* Art von Einschränkung abgesicherte Zukunftshoffnung. Die Größe und der Mut Blochs liegen darin, daß er vor den Konsequenzen solcher Überlegungen nicht zurückschreckte.

Im letzten Teil meines Beitrags möchte ich noch einmal ganz neu ansetzen. Wir haben gesehen, daß mit dem Christentum der Glaube an den „linearen Fortschritt" in Richtung auf den neuen Himmel und die neue Erde, auf die Auferstehung und das ewige Leben in die spätantike Welt hereinkam. Ich habe mehrfach darauf hingewiesen, daß die schlichte Hinnahme der eigenen Endlichkeit und Vergänglichkeit bei epikuräischen und stoischen Philosophen im Grunde nur auf dem Hintergrund eines sinnvollen und erfüllten Lebens von Angehörigen der führenden Schichten möglich war. Das gleiche läßt sich gewiß auch für die Neu-Stoa eines Montaigne und anderer sagen. Mit Hilfe dieses Zusammenhangs erklären denn auch Marxisten und andere Atheisten die Entstehung des Jenseits- und Erlösungsglaubens als Ausdruck irdischen Leidens unterdrückter und leidender Bevölkerungsschichten. Wer im Diesseits nichts als Not, Elend und Leiden erlebt, so lautet etwas vereinfacht die These, dem kommt jede Lehre, die ein besseres Jenseits verspricht, als Tröstung nur zu gelegen. Die Bekämpfung des religiösen Jenseitsglaubens wird denn auch vom frühen Marx bereits – im Anschluß an Feuerbach – als eine wichtige Voraussetzung für die Stimulierung des Wunsches nach sozialer Revolution angesehen. Wer auf ein besseres Jenseits hofft, so lautet seine Argumentation, der ist an der

Verbesserung des Lebens im Diesseits nicht mehr im gleichen Maße interessiert, der findet sich mit seinem Elend leichter ab. Die „Befreiung vom religiösen Elend", von den „religiösen Illusionen" bildet daher nach Marx den Anfang jeder Befreiung.

Die revolutionäre Theorie setzt an die Stelle des besseren Jenseits ein besseres Diesseits, für das die Menschen aktiv eintreten und kämpfen können. Freilich sind sie damit selbst noch nicht „befreit" oder gar „erlöst", und wir werden gleich sehen, daß jedenfalls für die lange Zeit vor der Ankunft bei der perfekten Idealgesellschaft das Problem der eigenen Endlichkeit, des eigenen Todes ungelöst bleibt und weiterhin nach Antworten sucht.

Während für *Marx* die Hoffnung auf ein ewiges Leben im Jenseits nichts anderes als eine illusorische Tröstung für die Mühseligen und Beladenen darstellt, die sich außerstande fühlen, ihr Schicksal zu wenden, hat *Sigmund Freud* eine andere Wurzel des Unsterblichkeitsglaubens angenommen: unser Unbewußtes.

„Unser Unbewußtes", so schreibt er in Zeitgemäßes über Krieg und Tod, *„glaubt nicht an den eignen Tod, es gebärdet sich wie un*sterblich. Was wir unser ‚Unbewußtes' heißen, die tiefsten, aus Triebregungen bestehenden Schichten unserer Seele, kennt überhaupt nichts Negatives, keine Verneinung – Gegensätze fallen in ihm zusammen – und *kennt darum auch nicht den eigenen Tod*, dem wir nur einen negativen Inhalt geben können. Dem Todesglauben kommt also nichts Triebhaftes in uns entgegen" (Gesammelte Werke Bd. X, S. 350). Aus diesem Grund ist nach Freud auch „für den Primitiven . . . die Fortdauer des Lebens, die Unsterblichkeit das Selbstverständliche. Die Vorstellung des Todes (dagegen) etwas spät und nur zögernd Rezipiertes . . ." (Werke Bd. IX, S. 95). Auch für Freud ist daher die Bereitschaft zur Anerkennung der definitiven eigenen Endlichkeit eine Frage der Redlichkeit und eine wichtige Voraussetzung für den sittlichen Fortschritt.

In diesem Jahr hat nun der amerikanische Psychiater und Psychoanalytiker *Robert Jay Lifton* ein Buch mit dem Titel „The broken Connection – on Death and the Continuity of Life" veröffentlicht, in dem er Sigmund Freuds „ikonoklastischen Rationalismus" aufgrund seiner praktischen Erfahrungen in Frage stellt. Ich muß mich hier darauf beschränken, auf einige Thesen dieses wichtigen Buches hinzuweisen, die für unser Thema von Bedeutung sind.

Robert Lay Lifton versucht nachzuweisen, daß es kaum einen Menschen und kaum eine Kultur gibt, die nicht in irgendeiner Form „Unsterblichkeit" oder doch „Weiterleben" annimmt. Offenbar können Menschen ohne einen solchen Glauben auch den eigenen Tod sich nicht vorstellen. Beides also: Bewußtsein der eigenen Sterblichkeit und irgendeine Form der Annahme des „Weiterlebens" – was noch nicht notwendig eine außerweltliche Heilserwartung sein muß – koexistieren im Bewußtsein der meisten Menschen. Und Lifton zeigt, daß es übrigens auch bei Freud selbst so war. Als Freud 1894 an einem Herzleiden erkrankte, sorgt er sich vor allem darum, daß es ihm noch nicht gelungen sei, seine Sexualtheorie vollständig zu entwickeln. Und er fügt den verräterischen Satz hinzu „Man wünscht schließlich nicht, plötzlich oder *vollständig* zu sterben". Die Fortdauer seiner Theorie – so darf man annehmen – war für Freud eine Art Gewißheit eigener Unsterblichkeit. Und Lifton untersucht dann eine Reihe von Formen, in denen Kontinuität des Lebens nach dem individuellen Tod in verschiedenen Kulturen vorgestellt oder gesucht wird. Dabei unterscheidet er fünf Modi der „Unsterblichkeit": die *biologische Unsterblichkeit* durch die eigene Nachkommenschaft; die *theologische Unsterblichkeit*, die *kreative* Unsterblichkeit (durch die fortdauernden Werke), die *natürliche* Unsterblichkeit und die Unsterblichkeit in der *experimentellen Erfahrung von Transzendenz* (Mystik, Drogenrausch usw.).

Die Suche nach *„biologischer* Unsterblichkeit" findet Lifton vor allem im asiatischen Ahnenkult. Nach altjapanischer Moralauffassung ist es eine sträfliche Verletzung der Sohnespflicht, wenn man keine Nachkommen zeugt, durch die das Leben der Ahnen verewigt wird. In der Einstellung gegenüber dem Toten zeigt sich dabei insofern eine gewisse Ambivalenz, als einerseits der Dahingeschiedene in einem Schrein verehrt, andersseits sein verfallender Leib beerdigt wird. Die unsterbliche Seele und der sterbliche Leib werden auch symbolisch an voneinander getrenntem Ort lokalisiert.

Damit sind wir schon bei der Form von Unsterblichkeit angelangt, die Lifton als *„theologisch"* bezeichnet. Auch wenn der jüdische und der buddhistische Glaube eine derartige Lehre nicht kenne, sei sie doch vor allem im Christentum von zentraler Bedeutung. Man müsse allerdings – wie Paul Tillich einmal gesprächsweise erklärt habe – zwischen der „Vulgärtheologie" des Lebens nach dem Tod und den eher symbolhaften Auffassungen der „höheren Theologien" unterscheiden.

Die *dritte Form* des Überlebens nach dem Tod ist freilich nur einer Minderheit erreichbar. Künstler, Dichter, Staatsmänner usw., *deren Werk* die kurze Spanne ihres eigenen *Lebens überdauert*, können auf diese Art von „Unsterblichkeit" Anspruch erheben. Von ihr ist auch in der symbolischen Sprache atheistischer Kommunisten die Rede, wenn sie davon reden, daß „Karl Marx" oder „Lenin" weiterlebe „eingeschreint im großen Herzen der Arbeiterklasse". Wobei das Wort Schrein nicht zufällig sakrale Anklänge mitschwingen läßt. André Malraux freilich meinte, daß die Unsterblichkeit des Werks oder der künstlerischen Kreativität nicht die des Individuums, sondern die der „Kontinuität der Menschheit" selbst offenbare, zu der jeder seinen Beitrag leiste. Lifton hat den Eindruck, daß diese Art des „Nachlebens" oder der „Unsterblichkeit" auch für Ärzte und schlechthin die meisten Menschen eine Rolle spiele, die hofften, daß etwas von dem, was sie geschaffen oder bewirkt haben, ihr Leben überdauere. So berichtet er etwa von einem Psychiater, der den Gedanken der Erfolglosigkeit seiner therapeutischen Bemühungen nicht ertragen konnte und sich mit Hilfe eines zwischen dem Patienten und ihm stillschweigend vereinbarten „Spiels" über seinen Mißerfolg, der ihn gleichsam „sterblicher" machte, hinwegzutäuschen suchte.

Nicht eigentlich eine Form der eigenen Unsterblichkeit, sondern eine Art Trost durch den Gedanken an die *Fortexistenz der Natur* bezeichnet Lifton als die *vierte Art* von Unsterblichkeit. Ein chinesisches Sprichwort sagt: „Der Staat kann zugrundegehen, aber die Berge und Flüsse bleiben." Vielleicht kann in solcher Reflexion eine Art Trost gefunden werden. Mir fällt dabei jenes berühmte Gedicht von Bertolt Brecht ein, in dem er seine Gelassenheit gegenüber dem eigenen Tod in der schlichten Zeile zum Ausdruck bringt: „konnte ich mich freuen / Alles Amselsangs nach mir – auch". Hier ist es weniger der Gedanke an die weiterbestehende Natur als vielmehr an die künftig lebenden Menschen und ihre Freude an der Natur, die den Dichter über seine Endlichkeit hinausblicken läßt. Nicht der geringste Grund für jene Furcht vor den Kernwaffen und den Kernkraftwerken hängt ja wohl damit zusammen, daß durch Nuklearwaffen und Kernkraftunfälle nicht nur Menschen, sondern auch die nichtmenschliche Natur zutiefst verletzt und verändert werden kann. Lifton beschreibt in seinem Buch über Hiroshima das tiefe Erschrecken der Japaner über die Veränderungen der Natur und die Furcht, daß nie wieder Bäume, Gras und Blumen in der Stadt wachsen würden. Es war die Angst davor, auch noch diesen Halt, auch noch diese Hoffnung auf Bleibendes zu verlieren.

Endlich beschreibt Lifton als *fünfte und womöglich lebendigste Form* der Überwindung des Todesbewußtseins „die Erfahrung der Transzendenz", wie sie der Mystiker kennt und wie sie in der säkularen Kultur von heute – nicht nur in den USA – von immer mehr Menschen auf dem Weg über asiatische Meditationstechniken oder psychedelische Drogen gesucht wird. Was die Menschen in jenen „Räumen" suchen, könne man mit Sigmund Freud das „ozeanische Gefühl" nennen, ein Gefühl des Einsseins und Vereinigtwerdens mit allem Seienden und der Hinausgehobenheit aus den engen Schranken der endlichen, begrenzten, individuellen Existenz. LSD oder Peyote-Ekstasen sind freilich, losgelöst von den rituellen Rahmenbedingungen, unter denen etwa nordamerikanische Indianer Peyote benutzt haben, eher gefährlich, und die Konzentration des Interesses auf die Psycho*techniken* asiatischer Kulte halten das bloße Mittel zu Unrecht für die Sache selbst. „Das Fehlen verläßlicher kultureller Symbole für das Ertragen, die Leitung und die Erfahrung der Wiedergeburt" in der Ekstase (S. 28) macht diese ambivalent und problematisch. Auch das *ekstatische Fest* mit seiner veränderten Zeiterfahrung, seinem Sistieren des linearen Ablaufs der Geschehnisse muß in diesem Zusammenhang genannt werden.

Abschließend meint Lifton, die Tiefenpsychologie dürfe ein Gebiet, das sie bisher ganz der Theologie überlassen habe, nicht länger vernachlässigen und dürfe sich dem Paradigma der „Kontinuität des Lebens" und „des letzten Zieles" nicht entziehen.

Zu dem letzten der fünf Beispiele würde ich gern noch auf das interessante Lehrgedicht von Bertolt Brecht hinweisen, in dem er den abgestürzten Mechanikern durch einen symbolisch die Arbeiterklasse repräsentierenden „gelernten Chor" das Weiterleben zuspricht, nachdem sie sich auf „ihre kleinste Größe" reduziert und freiwillig ihre eigene „Nichtigkeit" erkannt haben. Hier ist das Weiterleben – eine Art Unsterblichkeit – deutlich an die Aufgabe der Prätension der individuellen Besonderheit gebunden. Die Verwandtschaft mit dem Aufgehen des Ichs des Mystikers in der visio beata (die hier allerdings durch die Tat des Kollektivs vertreten wird) schien mir immer frappant.

Ich komme zum Schluß. Sie erwarten von mir eine Antwort auf die Frage: „Braucht *der Mensch* eine außerweltliche Heilserwartung?" Die Antwort kann nicht ganz eindeutig sein. Es gibt offenbar Menschen, die mit anderen Formen des Fortexistierens nach ihrem Tod (oder dem Tod eines Angehörigen und Freundes) auskommen. Als gewiß aber erscheint es auch zeitgenössischen Psychologen, daß kein Mensch ganz ohne einen Glauben an die Fort- und Weiterexistenz auskommen kann. Vom Standpunkt der Theologie aus mögen manche der Hoffnungen auf Transzendenz Illusionen sein, wie umgekehrt vom Standpunkt der Atheisten aus der religiöse Jenseitsglaube „Illusion" ist. Die Einsicht aber, daß niemand ohne irgendeine Art solchen Glaubens auskommt und daß die diesseitigen Heilserwartungen, die der industrielle Kapitalismus wie der Sozialismus einmal mit sich führten, ihren überschwenglichen Reiz verloren haben oder verlieren, läßt die außerweltliche Heilserwar-

tung des Christen wieder in ihrer hohen Bedeutung für die
Menschen sichtbar werden. Niemand wird das so verstehen, daß
damit ernsthafte und beharrliche Bemühungen um die Befreiung
der Menschen von Mühsal, Not, Leid und Armut überflüssig
würden, aber niemand wird auch noch an der Erwartung festhalten,
daß eines Tages die Menschen aus eigener Kraft die Erde in ein
Reich immerwährenden Glücks verwandelt haben werden.

Jakob J. Petuchowski

Säkulare Utopie und Gottesreich – Herausforderung, Konkurrenz oder Weggemeinschaft?

Als im Jahr 538 vor der gewöhnlichen Zeitrechnung der Perserkönig Cyrus Babylonien eroberte und den dorthin exilierten Juden erlaubte, nach Palästina zurückzuziehen, da nannte ihn der Prophet Deutero-Jesaja einen Gesalbten, einen Messias Gottes (Jes 45,1). Gewiß gab es unter den Juden zu jenem Zeitpunkt noch keine völlig entwickelte Christologie oder Messiaslehre. Immerhin aber galten bis dahin nur die *jüdischen* Könige und Hohenpriester als Gottes „Gesalbte". Der Perserkönig Cyrus war natürlich *kein* Jude. Was Cyrus den Juden erlaubte, war auch kein Ausnahmefall. Die allgemeine Wiederherstellung alter kultischer Einrichtungen, die von den Babyloniern zerstört worden waren, war grundsätzliche Politik der Perserkönige.[1] Doch weil sich die prinzipielle Politik des Cyrus in bezug auf Judäa und den jerusalemischen Tempel mit den Heilserwartungen der Juden deckte, konnte er als königliches Heilswerkzeug, als Gesalbter des Gottes Israels angesehen werden.

Stellte es nun für die Juden eine *Herausforderung* dar, daß das erhoffte Heil durch einen nichtjüdischen, ja durch einen götzendienenden König vermittelt wurde? In der Bibel findet sich darüber nichts. Wohl aber findet sich das genaue Gegenteil: die Bezeichnung des Cyrus als Gesalbten Gottes! Es bleibt Gott vorbehalten, sich seine eigenen Werkzeuge – zu Heil und auch zu Unheil (vgl. Jes 10,5) – zu wählen, ohne daß sich die Betroffenen ihrer Rolle im göttlichen Heilsplan bewußt werden oder bewußt zu werden brauchen.

[1] Siehe *M. Noth*, Geschichte Israels, Göttingen 1950, 259 ff.

Die Rolle, die in der biblischen Zeit das Heidentum spielte, ist in der Neuzeit vom Atheismus und Säkularismus übernommen worden. Soweit sich eine säkulare Utopie mit Bestandteilen der jüdischen Messiaserwartung deckt, jedoch *nur* so weit, kann das Judentum auch in säkularen Bewegungen Bestandteile der Heilsverwirklichung sehen. Überhaupt läßt sich die Trennung zwischen Religiösem und Säkularem in der schroffen Weise, wie sie das Christentum kennt, im Judentum nicht ganz so nachvollziehen. Abgesehen von der Tatsache, daß die Juden des Westens ihre Emanzipation im neunzehnten Jahrhundert dem in der Säkularisierung begriffenen Staat – und *nicht* dem „christlichen Staat" – verdanken, gilt für das Judentum, wie auch seinerzeit für Jesus von Nazaret, das Prinzip: „An ihren Früchten sollt ihr sie erkennen" (Mt 7,16). Nicht jeder sich zur Religion bekennende Mensch ist ein wahrer Diener Gottes, und nicht jeder wahre Diener Gottes ist auch unbedingt steuerzahlendes Mitglied der einen oder der anderen religiösen Konfession.

Allerdings gehört zur Heilserwartung, jüdisch gesehen, der Bund Gottes, den er mit Israel und Juda schließt, indem er sein Gesetz auf das menschliche Herz schreibt (Jer 31, 31–34). Das ist unzweifelhaft ein rein *religiöser* Bestandteil der Heilserwartung. Aber er steht nicht isoliert da. Auch daß Schwerter zu Sicheln und Lanzen zu Rebenmessern umgeschmiedet werden, daß Kriege aufhören, und daß „jeder unter seinem Weinstock und unter seinem Feigenbaum sitzen wird, und keiner stört", gehört zum Bild der messianischen Erfüllung (Micha 4,1–4). So würde eine Welt ohne Krieg beispielsweise dem messianischen Ziel weit näher stehen als unsere heutige Welt – selbst wenn es politische Motive und nicht rein religiöse sein sollten, die zur Einstellung des Krieges führen. Und so würde es auch um eine Welt stehen, in der tatsächlich ein jeder ohne Störung unter seinem Weinstock und unter seinem Feigenbaum sitzen kann – selbst wenn die Regierungen das ohne die Führung von Pfarrern und Rabbinern erreichen könnten.

Natürlich wird der glaubende Jude behaupten, daß da, wo sich eine politische Utopie mit den religiösen Heilserwartungen deckt, die betreffenden Bestandteile der Utopie eben dem Judentum entlehnt worden sind. Manche atheistische Vertreter der marxistischen Utopie, wie etwa Ernst Bloch, gestehen das sogar zu; ja, gestehen vielleicht mehr zu, als sie zu gestehen berechtigt sind. Das Bloch'sche Gottesreich, das zum Menschenreich ohne Gott geworden ist, stellt ja letzten Endes nun doch nicht die Lehre der israelitischen Propheten dar! Es ist der biblischen Lehre vom Gottesreich gegenüber eine Herausforderung.

Die Herausforderung liegt darin, daß zwar die biblische Heilserwartung bejaht wird, ihr aber zur gleichen Zeit ihre Basis im biblischen Gottes- und Offenbarungsglauben entzogen wird. So werden die Propheten Israels zu Politikern und Sozialreformern und büßen ihre Rolle als „Sprecher Gottes" – was das hebräische Wort *nabhi*, Prophet, bedeutet – ein. Gewiß hatten sich die Propheten um die soziale Gerechtigkeit gekümmert. Aber zum „Klassenkampf" hatten sie nicht aufgerufen. Gegen eine gesetzeswidrige Aneignung von fremdem Besitz hatten sie geeifert. Aber das Recht, Eigentum zu besitzen, hatten sie nicht angegriffen. Mord und Raub waren für sie Mord und Raub – ob nun die Reichen die Armen mordeten und beraubten, oder die Armen die Reichen. Denn der Gott der Propheten stand *über* den Interessen der wirtschaftlichen Klassen, und sein Gesetz war das Gesetz einer Gerechtigkeit, die sich hoch über irgendwelche Spezialinteressen erhob. So heißt es wiederholt in der Torah, daß dem Armen kein Unrecht widerfahren soll (Ex 23, 6; Dtn 27, 19). Es heißt aber auch, daß beim Rechtsspruch der Arme nicht *bevorzugt* werden darf (Ex 23, 3; Lev 19, 15). In diesem Zusammenhang bemerkte einst Abraham Geiger:

„Freilich ist Mitleid und Erbarmen ein Gefühl, dem Du folgen sollst, aber auch diese edle Empfindung muß vor der Gerechtigkeit schweigen. In diesem Schriftwort liegt eine Höhe der Auffassung, eine Erhabenheit sittlicher Anschauung, die uns wahrhaft Ehrfurcht einflößt."[2]

[2] *A. Geiger*, Das Judentum und seine Geschichte, Breslau ²1910, 26.

Nun ist aber die absolute Gerechtigkeit ein Attribut Gottes. Der Mensch, als Mensch, kann nur annähernd gerecht sein. Er kann und muß versuchen, die Gerechtigkeit, die Gott von ihm fordert, auf verschiedenen Wegen zu erreichen. Wird dagegen ein einziger Weg, eine einzige politische Richtung, eine einzige menschlich erdachte Utopie verabsolutiert und mit der von Gott geforderten Gerechtigkeit identifiziert, so haben wir es nicht mehr mit der Lehre der Propheten zu tun, sondern mit ihrer totalen Entstellung und Verzerrung. Wir haben ja in unserem eigenen Jahrhundert reichlich gesehen, wie die politischen Utopien es versuchen, sich zu verwirklichen. Da gibt es Besitzenteignungen, Inhaftierungen, Konzentrationslager und Massenmorde. Da wird gefoltert und verwüstet, verjagt und verbrannt. Es kann dabei gar nicht anders zugehen, denn der Zweck heiligt die Mittel, und das göttliche Gesetz, das über den Spezialinteressen steht, und das Mord und Raub verbietet, ist doch, zusammen mit seinem göttlichen Geber, abgesetzt worden.

So sieht es heute bei den säkularen Heilserwartungen aus. Aber kommt die *religiöse* Heilserwartung bei einem Vergleich besser davon? Die religiöse Heilserwartung hat einen Vorsprung von über zweitausend Jahren. Es muß gefragt werden: Wie hat sich die religiöse Heilserwartung in dieser langen Zeit bewährt? Die Antwort ist leider nicht sehr erfreulich. Auch im Namen Gottes und seiner Verheißung wurden Besitzenteignungen, Inhaftierungen, Folterungen und Massenmorde inszeniert. In seinem Namen und im Namen des erhofften Heils wurde gemordet und verwüstet, verjagt und verbrannt. In seinem Namen und zur Verwirklichung seines Heils wurden sogar Kreuzzüge und Religionskriege geführt!

Wenn sich also heute die Bekenner der Religion und die Anhänger säkularer Utopien gegenüberstehen, können beide Seiten sich zurufen: „Tu quoque!" Ja, wenn man den zeitlichen Vorsprung der religiösen Heilserwartung miteinberechnet, könnte sogar die Religion im Vergleich den Kürzeren ziehen. Es ist bis jetzt noch nicht erwiesen, daß sich das Heil ohne Mord und Totschlag verwirklichen läßt. Aber genauso fraglich ist es auch, ob das, was sich nur durch Mord und Totschlag verwirklichen läßt, tatsächlich das „Heil" ist, von dem einst die Propheten sprachen. Jedenfalls steht es der Religion nicht zu, die säkularen Utopien deshalb zu verurteilen, weil es bei deren Verwirklichungsversuchen mit Gewalt und Blutvergießen zugeht. Bis jetzt hat auch die Religion praktisch keinen besseren Weg eingeschlagen, selbst wenn sie ihm theoretischen Beifall zollt.

So stehen also sowohl die Religion als auch die säkularen Utopien mit befleckten Händen vor uns. Vielleicht sollte das nicht besonders verwundern, denn der Unterschied zwischen den beiden ist nicht ganz so groß, wie gewöhnlich angenommen wird. Die säkularen und politischen Utopien mögen es verneinen, daß sie Religionen sind. Sie sind es aber dennoch. Sie haben nur den Menschen an Gottes Stelle gesetzt, und ihre Propheten mögen Marx, Engels, Lenin und Mao, statt Amos, Jesaja, Jeremia und Ezechiel, heißen. Trotzdem haben die säkularen Utopien die Formen der Religion angenommen – mit Dogma und Orthodoxie, heiligen Schriften und Exegeten, Heiligen und Martyrern, Missionaren und Ketzern, Wallfahrten und Kultus. Dagegen hat sich die Religion nicht selten in der Welt der Politik und der weltlichen Macht ein Nest gebaut. Wir sehen das klar in dem mittelalterlichen Bündnis von Thron und Altar. Es ist aber nicht weniger eindeutig, obwohl seltener zugestanden, in dem heutigen Bündnis der Religion – oder zumindest einiger ihrer Wortführer – mit der politischen Linken wie auch in der mit Revolution liebäugelnden sogenannten „Befreiungstheologie".

Mag sich auch das Christentum, historisch gesehen, in dieser Hinsicht viel schuldiger erwiesen haben als das Judentum, so ist doch zu bedenken, daß es dem Judentum fast zweitausend Jahre lang an der Möglichkeit gefehlt hat, sich politisch zu betätigen. Heute, wo diese Möglichkeit wieder besteht, sehen wir, auf der einen Seite, eine jüdische Orthodoxie, die im Staat Israel krampfhaft – und auch mit beachtlichem Erfolg – versucht, immer größere Teile der bürgerlichen Gesetzgebung an sich zu reißen, und die auch –

obzwar nicht mit der Unterstützung der Gesamtheit ihrer Bekenner – im Namen der Religion die weitgehendsten Forderungen eines extremen Chauvinismus befürwortet und unterstreicht. Auf der anderen Seite haben sich die führenden Gremien des amerikanischen Reformjudentums fast ganz und gar den Bestrebungen der politischen Linken verschrieben – so daß amerikanische Arbeiterführer, Pazifisten, Sexualreformer, Säkularisten aller Art, Sozialisten und Minoritätenradikale nur eine „Forderung" zu erheben brauchen, um sofort das Nihil Obstat im Namen des Gottes der Propheten von den leitenden Rabbinern und Laien – wenn auch nicht das der gesamten Mitgliedschaft – des amerikanischen Reformjudentums zu erlangen.

Haben sich also die säkularen Heilserwartungen in die der Religion entstammende Hülle gekleidet, so hat sich die Religion ihrerseits das Politische zu eigen gemacht. Beide, Religion und säkularer Utopismus, fordern die soziale Gerechtigkeit. Beide sind mit der Gegenwart unzufrieden und verlangen nach einer besseren Zukunft. Beide geben sich als Verfechter eines lauteren Humanitätsgedankens aus. Beide haben aber auch – und die Religion weit länger als der säkulare Utopismus – in der Praxis oft und viel gegen den Humanitätsgedanken gesündigt, haben menschliches Leben und menschliche Freiheit auf dem Altar der Ideologie geopfert und haben versucht, durch Gewalt das Kommen des Gottes-, bzw. des Menschenreiches zu beschleunigen.

So ist es auch nicht verwunderlich, daß sich die Zukunftsbilder der Religion und der säkularen Utopien teilweise decken – besonders da von den säkularen Utopisten die religiöse Zukunftserwartung, aber ohne die dazugehörige religiöse Basis, übernommen worden ist. Da aber die Religion nicht nur ein Himmelreich, sondern auch ein Gottesreich *auf Erden* predigt, ist es wiederum nicht verwunderlich, daß, in ihren Verwirklichungsversuchen, die Religion, wenn sie die Möglichkeit dazu hatte, den Weg der politischen Gewaltmaßnahmen einschlug – sei es in Verbindung mit der Rechten oder in Verbindung mit der Linken.

Es fällt uns daher nicht schwer, von einer „Weggemeinschaft" der heilserwartenden Religion und der säkularen Utopie zu sprechen – einer „Weggemeinschaft", die beiden Seiten sowohl zum Lob als auch zum Tadel gereicht. Weil es aber diese „Weggemeinschaft" gibt, besteht natürlich auch eine gewisse Konkurrenz zwischen den beiden Weltanschauungen. Ist der Gott der Schöpfung und der Offenbarung eine *conditio sine qua non* für die Erlösung? Oder läßt sich die Erlösung von sozialem Unrecht, von der Armut, von dem Krieg und von der Entfremdung auch ohne die theistische Basis – ja, eigentlich *nur* unter Ausschluß irgendwelcher theistischer Basis – erreichen?

So sieht heute die Konkurrenz aus, eine Konkurrenz, die für so manchen religiösen Bekenner eine Herausforderung bedeutet. Daß hier von Konkurrenz und Herausforderung überhaupt die Rede sein kann, zeigt, in welchem Maß die Religion sich schon selbst auf den Boden der säkularen und politischen Utopie gestellt hat. Es ist natürlich und selbstverständlich Zweck und Wesen einer solchen Utopie, daß das soziale und politische Leben der Menschheit radikal verändert wird. Dazu ist doch eine Utopie, wie sie heute gepredigt wird, eigentlich da! Bei der Religion sollte es aber etwas anders aussehen. Um die Gesellschaft radikal oder revolutionär zu verändern, brauche ich nicht religiös zu sein. Dazu werde ich Sozialist oder Kommunist oder sonst noch etwas. Wenn ich religiös bin, so bin ich es, weil mir Gott und Offenbarung, Schöpfung und Gebet, Gottesliebe und Menschenliebe etwas bedeuten und weil mir ohne diese religiösen Bestandteile mein ganzes Leben sinnlos erscheinen würde. Allerdings gehört zur Religion auch jenes Zukunftsbild, das man Eschatologie oder Heilserwartung zu nennen pflegt und dessen Wesenszüge die der Gerechtigkeit, der Liebe und des Friedens sind – eben jene Wesenszüge, die sich auch die säkulare Utopie vermeintlich zum Vorbild genommen hat. Aber für die Religion ist diese Heilserwartung nicht der Grund – oder jedenfalls nicht der Hauptgrund –, warum man religiös ist, sondern das notwendige Endresultat einer religiösen Lebensweise, die von immer breiteren Teilen der Menschheit als imitierenswert angesehen und angenommen wird (vgl. Sach 8, 23). Religion fordert die

Heiligung des Lebens, die Heiligung des Selbsts, die menschliche Nachahmung der Heiligkeit Gottes. „Heilig sollt ihr sein, denn Ich, der Herr, euer Gott, bin heilig!" (Lev 19, 2). Setzt sich diese Heiligung durch und wird sie mit Gottes Beistand unterstützt – denn ohne den göttlichen Beistand hält auch das Judentum den Menschen für unfähig, sein eigenes Heil zu erwirken –, so wird die Zeit anbrechen, in der Gott sein Gesetz auf die Tafeln des menschlichen Herzens schreiben wird (Jer 31, 33 f), und die Heilserwartung wird Heilswirklichkeit.

Da es aber hier um die Erziehung und das Feinstimmen des menschlichen Gewissens geht, um eine Moral, die aus Liebe zu Gott und zum Mitmenschen fließt – und das ist der tiefere Sinn von Leviticus 19, 18 nach der Erklärung Leo Baecks: „Liebe deinen Nächsten, denn er ist wie du, weil Ich der Herr, euer Gott, bin!" –, kann und darf die Religion auch kein politisches System lehren, oder etwa die Forderung der gottgewollten Gerechtigkeit mit irgendeiner politischen Doktrin identifizieren. Wo die Religion dies dennoch tut, weicht sie von dem ihr zugewiesenen Weg ab. Sie hat es leider oft getan – zu ihrer Schande und zu ihrem eigenen Schaden. Sie braucht aber in der Zukunft nicht die Fehler der Vergangenheit zu wiederholen.

Weil sich die religiöse Heilserwartung von Gott und von der religiösen Lebensweise her ableitet und weil die säkulare Utopie eben gerade diese Quelle entschieden ablehnt, ist es zwar möglich, daß sich hier und da, wie wir bereits bemerkt haben, die religiösen und die säkularen Heilserwartungen teilweise gleichen oder sogar decken; jedoch die Tatsache bleibt bestehen, daß keine einzige politische Doktrin, keine einzige säkulare Utopie die ganze Tragweite der religiösen Hoffnung enthält oder in sich aufnehmen kann.

Das bedeutet nun *nicht*, daß sich die von der Religion erhofften Ziele nicht durch die Mitarbeit säkularer Instanzen ein Stück des Weges weiter verfolgen lassen – so etwa wie einst der heidnische Perserkönig Cyrus der Heilsgeschichte einen Schritt vorwärts verhalf und deshalb vom Propheten als Gottes Gesalbter apostrophiert wurde. (Wäre das allerdings heutzutage geschehen, dann hätten es gewiß die politisch-radikalen religiösen Wortführer als „faschistischen persischen Imperialismus" laut und drohend abgelehnt. Gott scheint sich darum nicht gekümmert zu haben, und scheinbar Deutero-Jesaja auch nicht.) So mag denn der religiöse Mensch als Bürger rechts oder links wählen – ohne daß die Religion ihm vorschreiben kann oder darf, wie er zu wählen hat. Aber die Religion kann und muß ihm die Maßstäbe der Moral liefern, nach denen sowohl die Ziele als auch die angewandten Mittel der verschiedenen politischen Parteien und Systeme zu beurteilen sind.

Es stellt sich folglich heraus, daß letzten Endes religiöse Heilserwartung und säkulare Utopie doch keine Konkurrenten sind. Es geht ihnen um ein ganz Verschiedenes. Religiöse Heilserwartung ist eben Religion, und säkulare Utopie ist – Politik. Das religiöse Festhalten am Glauben mag der säkularen Utopie als Herausforderung erscheinen. Aber von der Perspektive der Religion aus gesehen ist die säkulare Utopie nichts anderes als *ein* Weg neben anderen, auf dem *manche* Menschen versuchen, *für einen Teil* der Menschheit, aber nicht für alle Menschen (für die Armen, nicht für die Reichen; für das Proletariat, nicht für die Arbeitgeber) das Glück auf Erden zu sichern.

Es ist ein Weg, den vielleicht auch so manche religiöse Menschen schreiten wollen. Die Religion kann es ihnen weder empfehlen noch verbieten. Sie kann nur von diesen Menschen verlangen, daß sie den religiös-sittlichen Maßstab auf diesem Weg – wie auch auf allen anderen Wegen – ständig anwenden. Denn, wie bereits erwähnt, steht der Gott der Propheten *über* den Interessen der wirtschaftlichen Klassen, und sein Gesetz ist das Gesetz einer Gerechtigkeit, die sich hoch über irgendwelche Spezialinteressen erhebt. Mord und Raub bleiben hier Mord und Raub und sind als solche verurteilt, ob sich nun die Reichen an den Armen oder die Armen an den Reichen vergehen. Der Zweck heiligt hier *nicht* die Mittel, und der Mensch darf nicht einer Ideologie geopfert werden.

Wenn es darum geht, ein Menschenleben zu retten, dann dürfen alle

Gebote und Verbote der Torah – bis auf die Verbote von Götzendienst, Mord und Unzucht – gebrochen werden, denn die Religion ist um des Menschen willen da, und nicht umgekehrt (B. *Sanhedrin* 74a). So heißt es auch in der rabbinischen Literatur: „Wer ein einziges Menschenleben zerstört, wird angesehen, als ob er eine ganze Welt zerstört hat; und wer ein einziges Menschenleben rettet, wird angesehen, als ob er eine ganze Welt gerettet hat" (*Mischnah Sanhedrin* 4,5).

So kann nur die Religion sprechen, denn sie glaubt ja, daß der Mensch im Ebenbild Gottes erschaffen worden ist. Ihr ist daher jeder einzelne Mensch unersetzlich und teuer. Die Politik kann so nicht sprechen, denn für sie steht das System höher als das Individuum, *raison d'état* höher als das Gewissen.

Zwar mag sich die Religion nicht immer an ihre eigenen höchsten Lehren gehalten haben. Denn nur Gott ist völlig göttlich, die Religion aber größtenteils menschlich. Trotzdem hat die Religion diese Lehren bewahrt und sie in Zeiten der religiösen Besinnung und Umkehr immer wieder zu Kenntnis genommen.

Religiöse Heilserwartung und säkulare Utopie haben keinen zwingenden Grund zu konkurrieren. Wenn man sich aber schon auf dem Marktplatz der Ideen begegnet und von Konkurrenz und Herausforderung die Rede ist, so mag die Religion ruhig ihre Einschätzung des menschlichen Individuums – sowohl im *hic et nunc* als auch in der Heilserwartung – geltend machen und gerade dadurch die Untrennbarkeit von Gottesreich und menschlicher Würde verkünden.

Eckhard Lessing

Säkulare Heilserwartungen als Herausforderung des Glaubens in christlicher Sicht

Der Philosoph Odo Marquard hat im Blick auf die neuzeitlichen Lebensweltphilosophien die interessante These vertreten: „Wende zur Geschichtsphilosophie ist nur als Abkehr von der A(nthropologie), Wende zur A(nthropologie) ist nur als Abkehr von der Geschichtsphilosophie möglich."[1] Er knüpft mit dieser These an die Beobachtung an, daß das anthropologische Fragen durch eine „Wende zur Natur"[2] gekennzeichnet sei, die dem viel universaleren Anspruch der Geschichtsphilosophie mit ihrer Proklamation der *einen* Weltgeschichte, mit ihrer Verheißung der Freiheit für alle als konstitutiver Neueinsatz folge, ohne damit doch deren Recht ein für allemal außer Kraft zu setzen. Das sich wiederholende Gegeneinander von Geschichtsphilosophie und Anthropologie ist danach eine Grundaporie neuzeitlichen Denkens.

Ich beginne mit dieser schweren, weil so vieles in Blick nehmenden These Marquards, weil sie uns für unser Thema in doppelter Hinsicht den Blick schärfen kann. Sie macht uns darauf aufmerksam,

1. daß nach Heil, sofern es denkend verantwortet wird, nicht nur im Zusammenhang von Geschichte, sondern auch im Zusammenhang von Natur gefragt werden kann;

2. daß das Fragen nach dem Heil geschichtlichen Bewegungen unterliegt, die mit dem Wandel des philosophischen Bewußtseins zusammenhängen.

---

[1] Art.: Anthropologie, in: Historisches Wörterbuch der Philosophie, Bd. 1, (1971) 362–374, hier: 370. Ausführlichere Nachweise finden sich in Marquards Aufsatzband: Schwierigkeiten mit der Geschichtsphilosophie, 1973.

[2] Art.: Anthropologie, a. a. O. (Anm. 1).

Marquards These stellt aber diejenigen, die in den Bahnen der jüdisch-christlichen Tradition denken, noch vor ein drittes Problem. Es hat nämlich den Anschein, als ob die Alternative, die Marquard nennt, hier schon längst entschieden sei. Sprechen wir von Eschatologie, also von dem einen Gott, der am Jüngsten Tag seine alles umgreifende und rettende Herrschaft aufrichten wird, dann bewegen wir uns offenbar von vornherein in der Nähe der Geschichtsphilosophie. Und wenn wir in diesem Zusammenhang von den säkularen Heilserwartungen reden, die eine Herausforderung des christlichen Glaubens darstellen, dann denken wir infolgedessen zuerst an solche Konzeptionen, die ein in der Geschichte und also geschichtsphilosophisch zu begründendes heilbringendes Ziel vor Augen stellen, vor allem an den Marxismus.

Müßten wir dieser Entscheidung zustimmen, dann wären in der Tat die christlichen Heilsvorstellungen von Anfang an einer Einschränkung unterworfen. Heil könnte nicht im Zusammenhang von Natur erwartet werden. Das würde eine Abwehrhaltung gegenüber jeglichen auf die Leiblichkeit des Menschen sich beziehenden Heilsvorstellungen im Gefolge haben müssen. Die Auseinandersetzung mit den ostasiatischen und afrikanischen Religionen sowie mit den entsprechenden Übernahmen in unserer Welt – man denke an das, was unter dem Stichwort ‚neue Religiosität‘ zusammengefaßt wird – wären davon aufs äußerste betroffen. Und es nützte dann wenig, daß in der christlich-jüdischen – wie in der marxistischen – Konzeption die Natur nicht einfach verlorengeht, sondern mindestens in spiritualisierter Form erhalten bleibt. Gerade das heute Bedrängende, eine mögliche Wende zur Natur, bliebe a priori vor der Tür.

Im folgenden soll gezeigt werden, daß eine solche Vorentscheidung nicht dem christlichen Verständnis von Eschatologie gemäß ist. Wir formulieren diese These um des Verständnisses christlicher Eschatologie willen, von deren Eigentümlichkeit darum auch zuerst die Rede sein soll. Wir formulieren diese These aber auch, um den Blick frei zu haben für das Verhältnis der christlichen Eschatologie zur

Geschichtsphilosophie *und* zur Anthropologie mit ihrer Wende zur Natur, über das im zweiten bzw. dritten Abschnitt gesprochen werden soll. Hier geht es um die Auseinandersetzung mit den säkularen Heilserwartungen, die sich im Gewand lebensweltlicher Philosophien einerseits nicht ungern verbergen und anderseits durch ihre doch teilweise begründete Rezeption in der christlichen Gemeinde diese selbst vor nicht geringe Probleme stellen. Davon wird in einem vierten Abschnitt kurz die Rede sein.

Wir benützen also Marquards Problemformulierung, um uns Spektren des Heilsverständnisses vor Augen zu bringen. Sie sollen in ihrem Zusammenhang, aber auch in ihrer Gegnerschaft zum christlichen Verständnis der Eschatologie gewürdigt werden. Die globale Funktion, die bei diesen Überlegungen den lebensweltlich orientierten Philosophien zukommt, bedeutet dabei, daß wir keineswegs nur vor einigen die christliche Gemeinde betreffenden Problemzusammenhängen stehen – wenn wir uns auch auf sie beschränken werden. Die säkularisierten Gestalten der Geschichtsphilosophie wie der Anthropologie betreffen die jüdische Religion – vielleicht nicht im Grad, aber im Prinzip – gleichermaßen. Deshalb mögen die zu stellenden Fragen als gemeinsame empfunden werden, selbst wenn die Antworten je verschieden ausfallen sollten.[3]

1. Der christliche Glaube redet von der Zukunft unter Beziehung auf das bereits in der Gegenwart eröffnete Heil. Die Eschatologie ist

---

[3] Im folgenden soll auf sich beruhen, inwieweit die Marquard-These stichhaltig ist. Es fällt immerhin auf, daß Marquard die Situation der Gegenwartsphilosophie durch Beschreibungen der philosophischen Situation zumal in der ersten Hälfte des 19. Jahrhunderts interpretiert und umgekehrt. Dadurch wird in beiden Fällen mit Voraussetzungen operiert, die nicht unbesehen geteilt werden können. Zu fragen ist beispielsweise, ob der (Husserlsche) Lebensweltbegriff so ohne weiteres zur Deutung der älteren geschichtsphilosophischen und anthropologischen Bemühungen verwendet werden darf – und umgekehrt, ob nicht gerade die so gewonnene Sicht der älteren Philosophie eine fragwürdige Reduktion des Lebensweltbegriffs mit sich führt. Bemerkenswerterweise klammert Marquard durch sein Interpretationsverfahren die Bedeutung erkenntnistheoretischer Fragestellungen für die Entwicklung neuzeitlicher Philosophie aus. Es bleibt eine (Schein-)Selbständigkeit praktisch (das ist politisch) gewordener Philosophie, die allerdings einem verbreiteten Bewußtseinsstand entspricht – und uns die Anknüpfung an die Marquard-These ermöglicht.

darum weder mit einer geschichtsphilosophischen noch mit einer anthropologischen Interpretation zureichend zu erfassen.

Zur Begründung dieser These ist auf die Anfänge der christlichen Eschatologie zurückzugehen. Wir fassen die Botschaft Jesu gewöhnlich unter dem Stichwort „Der Anbruch der Herrschaft Gottes" zusammen. Mit Jesus ist die Stunde gekommen, von der die Propheten geredet haben: „Die Blinden sehen, die Lahmen gehen. Die Aussätzigen werden rein und die Tauben hören. Die Toten stehen auf und den Armen erklingt die Botschaft" (Mt 11, 5). Die *Gegenwart* des Heils ist also nach Jesu Worten da. Sie ist freilich in ganz bestimmter Weise da. In der Gegenwart ist die *Zukunft* als Heil, aber auch als Gericht eröffnet. Darum bedeutet Jesu Predigt nicht das Ende der Geschichte. Es ist vielmehr die heilvoll eröffnete Geschichte, die uns vor Augen gestellt wird. Sie verkehrt sich für denjenigen zum Gericht, der die heilvoll zugewendete Gegenwart und Zukunft Gottes verleugnet. Jesus meint also nicht, daß wir auf Gottes Zukunft, auf ein zukünftiges Heil nicht noch zuzugehen hätten. Aber er meint, daß die Zukunft Gottes Heil bereits für den ist, der diese Zeit als Gegenwart Gottes und als die Stunde des Heils ergreift.[4]

Diese Denkweise entzieht sich jenen apokalyptischen Hoffnungen, die uns aus der Zeit Jesu bekannt sind. Keine Vorstellung vom Weltende wird entwickelt, weder inhaltlich noch zeitlich. Es kommt gerade darauf an, in der Gegenwart die Gegenwart und Zukunft Gottes zu sehen.

Nun ist es freilich bei dieser Zurückhaltung gegenüber allen konkreten geschichtlichen Zielvorstellungen nicht geblieben. Die christliche Gemeinde hat sie erneut aufgenommen. Gerade Jesu Auferweckung von den Toten nötigte dazu, die Zukunft Gottes genauer ins Auge zu fassen. Jesus ist der Erstling der Auferstandenen, und von der Bedeutung seiner Auferstehung für alle Menschen zu reden, bedeutet notwendigerweise auch, über Ziel und Ende der Geschichte mit nachzudenken. Es ist darum zur Rezeption der

---

[4] Vgl. dazu besonders G. *Bornkamm,* Jesus von Nazareth, [11]1977, 80–84.

Ansätze jüdischer Eschatologie, besonders des apokalyptischen Denkens gekommen.

Aber – und das ist nun das Bezeichnende – diese Rezeption blieb nicht die einzige. Vielmehr trat neben die Rezeption der Apokalyptik diejenige des hellenistischen Denkens. Wir haben darin nicht einfach nur eine Anpassung an die Umwelt der ersten christlichen Gemeinden zu sehen. Vielmehr war die Gegenwart des Heils mit den Mitteln hellenistischen Denkens und hellenistischer Sprache besser aussagbar als mit den aus der jüdischen Tradition kommenden. Es ermöglichte die Ausarbeitung einer christlichen Anthropologie, in die eine Wende zur Natur eingeschlossen war. Seinen Ausdruck fand das insbesondere im Bedenken des Sakraments.[5]

Es kam also zu einer geschichtsphilosophisch wie einer anthropologisch orientierten Aufnahme des Christuszeugnisses. Unverkennbar ist der Spannungsreichtum, der damit für die erste Christenheit gegeben war.

Allerdings unterliegt die apokalyptische wie die hellenistische Rezeptionsweise einer bestimmten Beschränkung. Es geht nicht einfach darum, welche Rezeption die richtige ist, welche das Übergewicht haben darf oder wie sie vermittelt werden können. Alle Rezeption muß um die Frage kreisen, wie das Heilsgeschehen zutreffend ausgesagt werden kann. Es gibt also für die Rezeption eine thematische Mitte. Diese thematische Mitte war für die Christenheit im Rahmen der antiken Religionen und – wenn ich so sagen darf – ihren „Erfolg" erklärend die *Frage des Todes.* Diese Frage nötigt dazu, niemals nur eine Seite, die geschichtsphilosophische oder die anthropologische, zu bedenken. Sie verweist auf beide Aspekte. Denn weil in christlicher Sicht von Tod im Zusammenhang der Auferstehung der Toten geredet werden muß, ist damit ein Ziel der Geschichte ebenso anvisiert wie ein Nachdenken über die mit Christi Auferstehung gewährte Freiheit von dem Tod in diesem gegenwärtigen Leben. Dies läßt eine einseitig geschichtsphilosophische wie eine einseitig anthropologische Interpretation des christlichen Glaubens ungenügend erscheinen.

Das spiegelt sich wider in jenem eigentümlich zweischichtigen

Sprachgebrauch, in dem der christliche Glaube vom Tod redet. Tod bedeutet, nicht nur vom leiblichen, natürlichen Tod, sondern eben zugleich auch vom Todseinkönnen des Menschen inmitten aller kreatürlichen Lebendigkeit zu sprechen. Gegenwart und Zukunft verschlingen sich und können nicht auseinandergerissen werden. Wie kann von hier aus nun zunächst das Verhältnis zur Geschichtsphilosophie bestimmt werden?

2. An der Geschichte orientierte Heilsvorstellungen erwarten von der Zukunft die Vollendung des Menschengeschlechts. Sie stellen die christliche Kirche insbesondere vor die Frage nach ihrem ethischen Handeln.

Überschaut man die katholische und evangelische Theologie in den Jahren zwischen 1920 und 1960, dann wird man festzustellen haben, daß hier zwar über die Geschichtlichkeit, das heißt die Relativität des menschlichen Geschicks, sehr viel nachgedacht worden ist, hingegen nur wenig über die Geschichtsphilosophie. Die Zukunft war Thema nicht im Blick auf künftige Geschichtsentwicklungen, sondern im Blick auf die Möglichkeiten menschlicher Existenz angesichts des unermeßlichen Stromes der Geschichte.

Einigermaßen unvermittelt setzt in den sechziger Jahren eine andere Betrachtungsweise ein. Es kommt insbesondere zu einer Wiederentdeckung der messianischen Dimension des christlichen Glaubens, das heißt seiner radikalen Zukunftsbezogenheit, mit entsprechend scharfen Absagen an die gegenwärtige Weltsituation. Messianismus meint in diesem Sinn „eine beinahe ekstatische Selbstentäußerung in ein noch ausstehendes Ganzes hinein mit höchst intensiver, übersichtiger Wahrnehmung der Gegenwart"[6], der eine Unverhältnismäßigkeit von Gegenwart und Zukunft, bei der von dieser alles, von der Gegenwart nichts zu erwarten ist, einschließt.

---

[5] Dieser Gedanke wurde vor allem von *R. Bultmann* energisch herausgearbeitet. Vgl. z. B.: Das Urchristentum im Rahmen der antiken Religionen, ³1963, 216–228.

[6] *G. Sauter*, Heilsvorstellungen und Heilserwartungen. Notizen zur theologischen Orientierung: Evangelische Theologie 33 (1973) 227–243, hier: 234.

Die Anstöße zu diesem Denken gingen und gehen von verschiedenen Seiten aus. Die intensivere Bemühung um das jüdische Denken, angeregt etwa durch G. Scholem und Sch. Ben Chorin, wirkte ebenso wie das dem Judentum verpflichteter Philosophen, besonders E. Blochs, wie die Beschäftigung mit der marxistischen Philosophie. Anstoß war aber vor allem die Einsicht in die Notwendigkeiten gesellschaftlicher Veränderungen. Die Situation der Dritten Welt schärfte den Blick nicht weniger als die Widersprüche und Probleme der ökonomischen und gesellschaftlichen Entwicklung in unserer eigenen. Hier mündete die theologische Entwicklung ein in das Denken jener Bewegungen, deren Grundwort der Begriff Emanzipation war.

Man kann sagen, daß erst in diesen Jahren der Marxismus, an den wir unter dem Stichwort Geschichte ja fast ausnahmslos zu denken haben, wenn wir von säkularer Heilserwartung sprechen, zu einem Problem für das Heilsverständnis des christlichen Glaubens selbst geworden ist. Zwar ist die Auseinandersetzung mit dem Marxismus alsbald nach dem Krieg von den christlichen Kirchen intensiver aufgenommen worden, aber sie bewegte sich im ganzen auf der politisch-ethischen, nicht der geschichtsphilosophischen Linie, gekoppelt mit dem Bewußtsein von dem weitgehenden Versagen der Kirchen angesichts der sozialen Frage im 19. und 20. Jahrhundert. Ein Bewußtsein von der aktualisierbaren, in Weltveränderungsstrategien umsetzbaren Verwandtschaft zwischen christlichen und marxistischen Heilsvorstellungen fehlte weitgehend.

Erst in den letzten Jahren wurde darum *Hoffnung* zu dem Stichwort, unter dem sich Christentum, Judentum und Marxismus versammeln konnten. Dabei schien es oft unwesentlich, die einzelnen Heilsvorstellungen voneinander abzugrenzen. Viel wesentlicher war das gemeinsame Wissen von den Aufgaben der Zukunft – und der Gegensatz zur Gegenwart. Es kam hierdurch gerade bei manchen christlichen Theologen zu einer Symbiose von verschiedenartig begründeten Heilserwartungen, die die Gegenwart als Herausforderung verstand, nicht aber die säkularisierte Gestalt christlicher Heilsvorstellungen.

Es soll an dieser Stelle nicht darüber gestritten werden, wieviel Berechtigtes oder Unberechtigtes durch den Rückgriff auf den Marxismus zum Weltverständnis und zur Weltverantwortung des christlichen Glaubens beigetragen wurde. Es muß aber gefragt werden, ob hier nicht auch eine Transformierung des Glaubens erfolgte, die nicht unwidersprochen bleiben darf.

Wir suchen mit dieser Frage den Marxismus an der Stelle auf, wo nach seiner eigenen Auffassung die Unterschiedlichkeit zum Christentum letztendlich zum Treffen kommt, das heißt vor allem bei dem in der bekannten elften Feuerbach-These sich aussprechenden Selbstverständnis. Sie hat den Wortlaut: „Die Philosophen haben die Welt nur verschieden *interpretiert*, es kommt darauf an, sie zu *verändern*."[7] Die Aufmerksamkeit wird also – wie die vorhergehenden Thesen ausführen – auf die *„sinnlich menschliche Tätigkeit, Praxis"*[8] gerichtet. Kann der christliche Glaube sich auf diese Zielsetzung einlassen? Dies zu erwägen heißt, als die eigentliche Herausforderung des christlichen Glaubens durch den Marxismus das Problem der Begründung des ethischen Handelns, der Erwartungen, die mit dem Handeln verbunden werden, der Ziele, auf die das Handeln zugeht, anzunehmen.

Da jetzt die Zeit für eine eingehende systematische Erörterung fehlt, versuche ich, von einer Geschichte Jesu aus die bestehende Alternative deutlich zu machen.

Die Passionsgeschichte beginnt mit Jesu Einzug in Jerusalem (Mk 11, 1ff). Mit diesem Zug nach Jerusalem verband sich für Jesus die Hoffnung auf die Bekehrung Israels. Jerusalem ist die Stadt, in der und mit der über das Schicksal Israels entschieden wird. In Jerusalem stellte sich Jesus also Israel mit seiner Predigt zur Entscheidung. Beruht Jesu Glaube allein auf der unmittelbar bevorstehenden Bekehrung Israels? Wäre es so, dann muß wegen der weiteren Ereignisse vom Scheitern der Botschaft Jesu geredet werden. Jesus wird ans Kreuz geschlagen. Aber es ist das

---

[7] *Karl Marx/Friedrich Engels*, Werke Bd. 3, 1962, 7.
[8] Ebd. 5.

Bemerkenswerte, daß Jesu Erwartung sich verbindet mit der Bereitschaft, den Tod anzunehmen und so die Erwartung des Heiles Gott selbst anheimzugeben. Das Heil wird nicht mit Gott selbst identisch. Es kann nur in der Erwartung des zukünftigen, allein von Gott kommenden und Gott vorbehaltenen Heiles erfahren werden.[9]

Es ist insoweit zum Merkmal des christlichen Glaubens geworden, daß er von einer Differenz zwischen Gott und allen konkreten Heilsvorstellungen ausgeht, gleichwohl aber das von Gott kommende Heil in Gestalt bestimmter Erwartungen erhofft. Dieser komplexe Zusammenhang ist nur dann nicht widersprüchlich, wenn der Mensch Gott als Herrn auch über den Tod weiß und dieses Wissen Freiheit wie Bindung gegenüber bestimmten Heilserwartungen einschließt. Oder positiv formuliert: Das Wissen um die todüberwindende Macht Gottes erlaubt es, von Gott im Modus der Erwartung zu reden, und konkrete Erwartungsvorstellungen mit Gott selbst trotzdem nicht zu identifizieren.

Für das Verständnis des Handelns, seine Begründung und seine Ziele ist das von höchster Bedeutsamkeit. Denn Jesu Verhalten bringt das Handeln vor eine Grenze und vor eine neue Möglichkeit. Durch Handeln kann nicht selbst das Heil heraufgeführt werden, aber es vermag deutlicher Hinweis auf Gottes Zukunft zu sein. Dieses Handeln entbehrt nicht der Vorstellungen. Jesu Erwartung der Bekehrung Israels steht gleichsam prototypisch für alles den Menschen von Gott zugute kommende Heil. Und trotzdem sind diese Vorstellungen nicht das letzte, weil sie mit dem Handeln nur als Hinweis verstanden werden können.

Aber kann dies das Handeln schon zur Genüge bestimmen? Wie kann es begründet vorstellungsgeprägt und doch auch wieder nicht vorstellungsgeprägt sein? Deutlicher noch als Jesu Erwartung der Bekehrung Israels kann uns diese Frage durch die Interpretation beantwortet werden, die Paulus (in Röm 9–11) der gleichen Erwartung gegeben hat. Er erwartet, daß Gott alle seine Verhei-

---

[9] Wir folgen mit dieser Interpretation G. Bornkamm (Anm. 4). Vgl. bes. S. 141 ff.

ßungen einlöst, eine Heiden wie Juden umfassende Gemeinschaft. Diese Erwartung verlangt die Distanz von allen durch menschliches Handeln heraufführbaren zukünftigen Weltzuständen. Denn Gott allein ist die Einheit des Gottesvolkes vorbehalten, ihre Zeit wie ihre realisierte Gestalt. Und doch ist diese Einheit Inbegriff für das, was vorgestellt und woraufhin gehandelt werden darf. Sie ist sozusagen das, über dem nichts Größeres gedacht werden darf; sie ermöglicht Vorstellungskritik wie Vorstellungsbindung. Die Erwartung der Einheit des Gottesvolkes ist also, wenn ich so sagen darf, die Bedingung, unter der wir als Menschen von der todüberwindenden Macht Gottes reden und sie für unser Handeln bestimmend sein lassen können. Dies wehrt jeglichen ethischen Aktivismus ab – wie übrigens auch jede existentialistische Deutung des christlichen Glaubens.[10] Und diese Einheit kann und darf als Gegenwart verstanden werden, insofern und weil mit Jesu Auferweckung die Erwartung Jesu selbst bestätigt wurde.

Für die Auseinandersetzung mit dem Marxismus ergeben sich hieraus eine Reihe von Konsequenzen. Ich fasse sie kurz zusammen:

(1.) Die marxistische Identifizierung von geschichtlichen Erwartungen mit quasi endzeitlichen Vorstellungen ist prinzipiell unannehmbar.

(2.) Prinzipiell unannehmbar ist auch sein Versuch, im menschlichen Handeln den entscheidenden Faktor des geschichtlichen Prozesses zu erblicken.

(3.) Nicht prinzipiell unannehmbar ist hingegen, daß Erwartungen, Utopien formuliert werden, auch daß nach ihnen gehandelt

---

[10] In der Diskussion wurde die Frage aufgeworfen, ob nicht von der Formel, daß Gott alles in allem sein werde, ein direkterer Zugang auch zur christlichen Eschatologie und dem aus ihr folgenden Verständnis des Handelns gewonnen werden könnte. Wenn auch diese Frage im Prinzip vielleicht bejaht werden kann, so wenig darf übersehen werden, daß die dann nicht leicht auszuschließende Identifizierung von „Gott" und „alles in allem" die spezifische Differenz zwischen Gott selbst und den Heilserwartungen und Heilsvorstellungen nicht mehr zum Vorschein kommen läßt. Darum kommt es entscheidend darauf an, das Augenmerk auf die mit der Formel gemeinten Inhalte zu richten und von daher zu denken – wie das ja übrigens auch Paulus in 1 Kor 15 tat. Darum ist unseres Erachtens der Gedanke von der Einheit des Gottesvolkes konstitutiver als der in der Formel ausgesprochene.

wird – wenn denn in Motivation und Reflexion die erhoffte Einheit des Gottesvolkes aus Christen und Juden und *in diesem Sinn* des Menschengeschlechts bestimmend bleibt.

3. An der Natur orientierte Heilsauffassungen erwarten von einer Besinnung auf die fundamentalen Lebensgrundlagen menschlichen Daseins ein Heilwerden der menschlichen Existenz. Sie stellen die christliche Kirche insbesondere vor die Frage ihrer praxis pietatis.

Wir sprachen davon, daß der Marxismus vor 15 bis 20 Jahren mit ziemlicher Plötzlichkeit neu ins Blickfeld der Theologen trat. Der inzwischen wieder erfolgte Wechsel des öffentlichen Interesses gehört zu unserer Erfahrung. Statt dessen ist eine Hinwendung zur Natur im Zusammenhang mit ökologischen Problemen und alternativen Lebensformen unverkennbar. In nicht wenigen Fällen sind sie mit religiösen Strömungen verbunden. Meditation, Askese – Stichworte, von denen lange Zeit nur abschätzig die Rede war – haben neue Bedeutung gewonnen. Das mag man nüchtern als Reaktion auf überspitzte Zukunfterwartungen und Weltveränderungsstrategien beurteilen. Aber es ist doch weit mehr, nämlich auch hier und jetzt deutlicher zutagetretende Sehnsucht nach Heil – wenn schon nicht in den Augen derer, die sich zur Natur hinwenden, so doch gewiß für die, die sich den Geboten kritischer Rationalität verpflichtet wissen und in diesen Bewegungen nur eine neue Form der Schwärmerei zu entdecken vermögen; wie mir scheint, aber auch vor dem Forum des christlichen Glaubens. Denn die Hoffnung auf Identität, die sich mit der Wende zur Natur verbindet, will in Zeit und Geschichte etwas eingelöst wissen, was nach christlicher Auffassung Gott sich selbst vorbehält. Die Hoffnung auf einen endzeitlich handelnden Gott wird im Rahmen dieser Wende zur Natur zu einer sinnlosen Hoffnung. Es wird ja alles erwartet von einer Rückkehr zur Natur!

Dabei übt zumal das ostasiatische Denken eine bestimmte Verzauberung aus. Wir finden sie beispielsweise in folgenden schönen Worten von Tagore: „Ein Mensch, dessen Weltkenntnis nicht weiter reicht als die der Wissenschaft, wird niemals fassen, was das ist, was der Mensch mit seinem geistigen Blick in diesen Naturphänomenen findet. Das Wasser reinigt nicht nur seine Glieder, es macht sein Herz rein und lauter; denn es rührt an seine Seele. Die Erde trägt nicht nur seinen Körper, sie erfüllt sein Gemüt mit Freude; denn Berührung ist mehr als physischer Kontakt – es ist lebendiges Nahesein."[11]

Demgegenüber scheint in der jüdisch-christlichen Tradition insbesondere die Tendenz zur Beherrschung der Natur, die etwas dem Menschen Fremdes, letztlich Unlebendiges ist, das Maßgebliche zu sein. Gott hat die Welt erschaffen. Er ist selbst also außerhalb der Welt. In der Welt ist darum nichts Göttliches. Der Mensch kann sie nach seinem Willen gebrauchen und etwa zur Verbesserung der Lebensverhältnisse einsetzen.

Nun ist sicherlich diese Beschreibung einseitig, und es ist möglich, manche Beziehungen der Wende zur Natur zum christlichen Glauben und gerade auch zum Alten Testament aufzudecken. Dieses ist ja auch voll von Beschreibungen der guten Werke der Schöpfung. Sie sind uns gegeben mit ihrer Pracht, als Augenlust, tägliche Quelle der Freude, Nahrung für das Auge der Seele (Ps 19; 104). Der Mensch ruht in ihnen, verweilt bei ihnen, er betrachtet sie mit Lob und Dankbarkeit.

Von solchen Aussagen leben nicht wenige christliche Adaptionen der Wende zur Natur. Es ist aber zu fragen, ob durch solche Erinnerungen schon der Herausforderung in genügender Weise standgehalten ist. Denn es muß ja auch hier ernst gemacht werden mit jener Erkenntnis, die wir schon oben formulierten: Gott selbst und die Heilsvorstellungen sind nicht identisch. Das in der Gegenwart anhebende Heil meint ein Bestimmtwerden von dem in seinem Handeln freien und doch Gewißheit begründenden Gott, auf den vertraut werden darf, weil er selbst seine Verheißungen einlösen will. Dies verbietet ein Vertrauen auf die Natur; die

---

[11] *R. Tagore*, Sadhana, Madras 1972, zitiert nach O. Jensen, Unter dem Zwang des Wachstums – Ökologie und Religion, 1977, 140.

Begründung des Lebens kann weder hier noch in geschichtlichen Zielvorstellungen gefunden werden.

Wenn wir sehen wollen, was das bedeutet, können wir auch an dieser Stelle wieder einen Blick auf die Botschaft Jesu werfen. Gleichsam selbstverständlich greift sie immer von neuem Bilder aus der Natur auf. Die Vögel des Himmels – sie säen nicht, sie ernten nicht; die Lilien auf dem Felde, die herrlicher als Salomos Kleider sind; Weizen, Trauben, Dornen sind Gleichnisse der anbrechenden Gottesherrschaft ebenso wie der Feigenbaum, die Saat. Jesu Sprache lebt auch von der Natur. Sie ist wahrnehmungsgesättigt. In dieser Weise wahrt Jesus den alttestamentlichen Glauben an Gott den Schöpfer. Aber er vermeidet es, mit der Natur irgendwelche Heilsvorstellungen zu verbinden; er vermeidet sogar jede reflektierende Lehre über die Schöpfung.[12]

Gerade in dieser indirekten Weise verbindet sich Jesu Naturverständnis mit seiner eschatologischen Botschaft. Sie weisen *beide* den Menschen unüberhörbar ein in die Gegenwart und Zukunft Gottes.

Nun müssen wir an dieser Stelle allerdings noch ein wenig tiefer fragen. Wir haben die Wende zur Natur bisher gleichsam nur in ihrer oberflächenhaften Seite beachtet. Nicht aber haben wir berücksichtigt, daß diese Wende sich in Gestalt der Anthropologie darstellen soll und gerade in dieser Form das Gegenbild zur Geschichtsphilosophie bildet.

Im ersten Moment haben wir es hierbei mit etwas völlig Neuem zu tun, das uns zu einem nochmaligen Einsatz nötigt. Dieser Eindruck täuscht jedoch. Denn die Anthropologie nimmt nur das in die Reflexion mit hinein, was im Rahmen der politischen Wende zur Natur sozusagen außen vor bleibt und durch Handeln abgegolten werden soll, nämlich das Problem der Bedrohung des Menschen durch die Natur. Selbstverständlich ändern sich dadurch Heilsvorstellungen wie Heilserwartungen. Nur in skeptischer Gebrochen-

---

[12] Diese Interpretation lehnt sich an die entsprechenden Ausführungen bei *Bornkamm* (Anm. 4), bes. S. 106 ff, an.

heit kann sich die positive Geltung der Natur ihren Raum verschaffen. Therapeutisches[13] statt politisches Handeln scheint geboten – wobei aber nicht übersehen werden sollte, daß unter der Hand dieses schon immer mehr zu jenem geworden ist. Aber die Zielrichtung verändert sich damit eben nicht grundsätzlich.

Die komplexere Reflexion der Wende zur Natur in der Anthropologie macht diese erst eigentlich zu einem Problem für die Theologie. Sie muß entdecken, daß sie sich vielerorts schon auf einem Feld bewegt, das in seiner politischen Manifestation nicht ohne weiteres das ihre zu sein schien. Denn schließlich hat sie die Anthropologie zu einem nicht geringen Teil als ihre eigene Domäne erklärt. Das ist zwar insoweit gerechtfertigt, als etwa das Problem des Todes, wie wir bisher schon gesehen haben, ein Grundproblem des christlichen Glaubens ist. An dieser Stelle melden sich darum keine Fragen. Sie tauchen aber sehr wohl dann auf, wenn nach dem Stellenwert der Anthropologie gefragt wird. Dient sie dazu, die Gegenwärtigkeit des Heils angesichts der den Menschen in seiner Natur und von seiner Natur her drohenden Gefahren auszulegen, oder wird sie benutzt, um für den Glauben verbindliche Aussage- und therapeutische Vollzugsmöglichkeiten überhaupt erst zu schaffen? In diesem Fall verbindet sich mit der Anthropologie ein Heilsanspruch, der nicht akzeptiert werden kann.

Damit mündet die Fragestellung in diejenigen Bahnen ein, die wir bereits schon von der Botschaft Jesu her geltend gemacht hatten. Es geht auch gegenüber der Anthropologie um die Möglichkeit, die Mittelbarkeit der Natur zu wahren. Vielleicht läßt sich das generell so formulieren: Die Natur unterwirft nicht unabdingbaren Notwendigkeiten, weil sie von vornherein durch die Güte Gottes umfangen ist. Dieses Urteil ist nicht selbstverständlich, weil es nicht ohne weiteres aus der Natur abgelesen werden kann. Es gründet in der zugesagten Gegenwart des Heils, die im Zugehen auf die Einheit des Gottesvolkes wirklichkeitsbestimmend und wirklichkeitser-

---

[13] Zur Bedeutung dieses Begriffs im Zusammenhang der Wende zur Natur vgl. die Abhandlung *Marquards* (in dem Anm. 1 genannten Band S. 85–106): Über einige Beziehungen zwischen Ästhetik und Therapeutik in der Philosophie des neunzehnten Jahrhunderts.

schließend erfahren wird. Oder anders: Gerade die von Gott sich selbst vorbehaltene Einheit des Gottesvolkes eröffnet die Wahrnehmung seiner Fülle auch in der Natur. – Wie kann die christliche Gemeinde dies ausdrücken?

Es ist das Problem der Hinwendung zur Natur, daß ihr nur ganz partiell durch ethisches Handeln Profil gegeben werden kann – obschon uns das durch die mannigfachen der Natur verpflichteten Bewegungen heute nahegelegt wird. Die Weise, wie hier Natur und Handeln verbunden sind, kann sich der Sache nach nur im Bereich der Negation bewegen. Sie ist Indiz für das, was fehlt. Sie kann größere Zerstörungen vermeiden helfen. Aber sie kann die Erwartungen, die sie weckt, nicht einlösen.

Dies gibt uns Anlaß, im Zusammenhang der Wende zur Natur nicht vom Handeln, sondern von der *praxis pietatis* zu reden. Jesu Predigt von der nahe herbeigekommenen Gottesherrschaft, die die Decke von Gegenwart und Zukunft nimmt, beschließt eine Freiheit zur Wahrnehmung in sich, die im alltäglichen Umgang mit der Wirklichkeit ihren Niederschlag findet. Die Zeugnisse der Frömmigkeit unserer Kirche sollten, meine ich, unter diesem Gesichtspunkt gelesen und gewürdigt werden. Man denke etwa an die in unsere Gesangbücher aufgenommenen Morgen- und Abendlieder. Ihr Reichtum an Erfahrung überbietet das, was wir oft etwas mühselig wissenschaftlich auf den Begriff zu bringen versuchen.

Die Zeugnisse der praxis pietatis können uns aber noch etwas mehr zeigen. Sie halten nicht nur Natur in der notwendigen Mittelbarkeit, sondern sie halten die Spannung aus, die mit dieser Mittelbarkeit gegeben ist. Wir sahen: Die Natur gewährt kein Heil, weil sie dem Gesetz der Vergänglichkeit unterliegt. Und doch darf von Leid, Tod und Not der Natur und in der Natur abgesehen werden. Die Zeugnisse der praxis pietatis binden beide Aussagen unwiderruflich zusammen. Auf der einen Seite beharren sie gegenüber jeglichen an die Natur anknüpfenden Heilsvorstellungen auf der Nichtigkeit alles Lebendigen. Auf der anderen Seite aber behaupten sie ein bewußtes und berechtigtes Absehen von dem Geschick der Nichtigkeit, ein Wahrnehmen der Freude vermittelnden Schönheit